L'Aventure ambiguë

Cheikh Hamidou Kane

Texte intégral

édicef

Questionnaires et dossiers :
Viviane Azarian, enseignant-chercheur en littératures africaines
et comparées à l'Université de Bayreuth.
& **Bernadette Lafourcade**, professeur certifié de Lettres Modernes
et docteur en didactique.

Couverture : Anne-Danielle Naname
Illustration de couverture : © John Sann/Gettyimages
Mise en pages : L'autreagence

Sommaire

L'AUTEUR ET SON ÉPOQUE   6

PREMIÈRE PARTIE   **11**

    Chapitre premier   13
    Chapitre II   21
    Chapitre III   33
    Chapitre IV   40

    PARCOURS 1   47

    Chapitre V   56
    Chapitre VI   66
    Chapitre VII   74
    Chapitre VIII   80
    Chapitre IX   89

    PARCOURS 2   98

DEUXIÈME PARTIE   **109**

    Chapitre premier   110
    Chapitre II   117
    Chapitre III   124
    Chapitre IV   129

    PARCOURS 3   136

Chapitre V   146
Chapitre VI   156
Chapitre VII   159
Chapitre VIII   161
Chapitre IX   165
Chapitre X   168

PARCOURS 4   171

SYNTHÈSE GÉNÉRALE   182

GROUPEMENT DE TEXTES   187

Les Gardiens du Temple, Cheikh Hamidou Kane   188
Oui mon Commandant !, Amadou Hampâté Bâ   191
Les Cahiers de Malte Laurids Brigge, Rainer Maria Rilke   196
Lettre de Gargantua à Pantagruel, Rabelais   199
Misère de l'homme, Blaise Pascal   202
Poésie mystique soufie, Omar Kayyâm   205
L'Éternité, Arthur Rimbaud   207
Soleils couchants, Paul Verlaine   209

ANNEXES   211

Qu'est-ce que la Négritude ?, Léopold Sédar Senghor   212
Les figures de style   214

Cheikh Hamidou Kane : biographie

Cheikh Hamidou Kane est né en 1928 dans le Futa au Sénégal, région islamisée depuis le XIe siècle. D'origine Toucouleur, il parle pulaar et, comme le héros de *L'Aventure ambiguë*, il est issu d'une grande famille aristocratique musulmane (les Toorodbe : « ceux qui prient ensemble »). Son grand-père était un mystique soufi et un juge musulman (cadi) très respecté.

Cheikh Hamidou Kane a d'abord reçu une éducation coranique avant d'être scolarisé à l'école coloniale française. En 1948, il entre au lycée Van Vollenhoven de Dakar en classe de Lettres et Philosophie. Pour percevoir une bourse d'étude, il s'engage à travailler dix ans pour l'administration française au terme de sa formation. Après son baccalauréat, il poursuit à Paris un double cursus : il s'inscrit en licence de droit pour préparer l'examen d'entrée à l'École nationale de la France d'Outre-mer (école de formation des cadres administratifs pour les colonies), et, parallèlement, il suit une licence de philosophie à la Sorbonne.

Il retourne au Sénégal en 1958 et devient haut-fonctionnaire. Il est Ministre du Plan de 1960 à 1962, puis travaille pour l'UNICEF sur toute la zone de l'Afrique de l'Ouest. Il part ensuite au Canada collaborer avec une Organisation Non Gouvernementale. Il prend sa retraite au Sénégal où il fonde l'association humanitaire ENDA-Tiers Monde.

Il est l'auteur de deux œuvres littéraires : *L'Aventure ambiguë* (1961) et *Les Gardiens du Temple* (1995) dont l'action se déroule dans un pays africain cinq ans après son indépendance. Cheikh Hamidou Kane envisage Salif Bâ, ingénieur agronome dans le roman, comme « un peu un fils de Samba Diallo, un successeur… ».[1]

L'Aventure ambiguë

L'Aventure ambiguë est à l'origine le journal intime écrit par Cheikh Hamidou Kane lors de ses années d'études à Paris entre 1950 et 1952.

---

1 in J.P. Little, *Cheikh Hamidou Kane, L'Aventure ambiguë*, Grant and Cutler Ltd, 2000.

L'auteur retranscrit ensuite son texte sous forme de récit fictionnel et le publie en 1961. Son intention est de témoigner d'une expérience personnelle représentative pour toute une génération d'Africains qui a vécu l'époque coloniale et qui a été envoyée à l'école française. Beaucoup d'autres textes à caractère autobiographique et reprenant ce motif ont ainsi été publiés à partir des années 50 (*L'Enfant noir* de Camara Laye ou *Amkoullel, l'enfant peul* de Amadou Hampâté Bâ). Ces textes reviennent sur le choc qu'a représenté le contact avec l'Occident dans le cadre de la colonisation à la fois au niveau personnel et au niveau collectif.

L'Aventure ambiguë, sous-titré « récit », écrit à la troisième personne, raconte le parcours de Samba Diallo, enfant du pays des Diallobé et élève de l'école coranique. Après de longs débats, il est envoyé à l'école française puis poursuit des études de philosophie en France, à la Sorbonne. Le texte traite du conflit culturel intériorisé par le personnage. La tension qui sous-tend le récit s'articule dans l'opposition entre pensée scientiste, foi dans le progrès et pensée spiritualiste. Les voix du rationnel et de l'irrationnel sont réparties entre les personnages : le maître des Diallobé, représentant le courant traditionaliste et la Grande Royale, le courant moderniste.

Les personnages sont partagés au début du texte devant ce dilemme : envoyer ou non l'héritier du pouvoir spirituel et temporel à l'école française, seul moyen de promotion dans le nouvel ordre social issu de la colonisation ? Ce débat a réellement eu lieu dans les sociétés africaines. Le texte est l'histoire d'une métamorphose : Samba Diallo, victime d'un processus irréversible d'aliénation, perd ses repères. L'écriture privilégie les descriptions et réflexions. Le héros, Samba Diallo part en quête d'une identité, d'une synthèse qui réconcilie ses « moi » antagonistes.

L'aventure ambiguë est considéré comme l'un des romans africains les plus importants du XXe siècle et s'est vu décerner le Grand Prix littéraire d'Afrique noire en 1962.

L'Aventure ambiguë

PREMIÈRE PARTIE

Ce jour-là, Thierno l'avait encore battu. Cependant, Samba Diallo savait son verset.

Simplement sa langue lui avait fourché. Thierno avait sursauté comme s'il eût marché sur une des dalles incandescentes de la géhenne promise aux mécréants. Il avait saisi Samba Diallo au gras de la cuisse, l'avait pincé du pouce et de l'index, longuement. Le petit enfant avait haleté sous la douleur, et s'était mis à trembler de tout son corps. Au bord du sanglot qui lui nouait la poitrine et la gorge, il avait eu assez de force pour maîtriser sa douleur ; il avait répété d'une pauvre voix brisée et chuchotante, mais correctement, la phrase du saint verset qu'il avait mal prononcée. La rage du maître monta d'un degré :

– Ah !... Ainsi, tu peux éviter les fautes ? Pourquoi donc en fais-tu ?... Hein... pourquoi ?

Le maître avait abandonné la cuisse ; maintenant il tenait l'oreille de Samba Diallo. Ses ongles s'étaient rejoints à travers le cartilage du lobe qu'ils avaient traversé. Le garçonnet, bien qu'il eût fréquemment subi ce châtiment, ne put s'empêcher de pousser un léger gémissement.

– Répète !... Encore !... Encore !...

Les ongles du maître s'étaient déplacés et avaient poinçonné le cartilage en un autre endroit. L'oreille, déjà blanche de cicatrices à peine guéries, saignait de nouveau. La gorge nouée, les lèvres sèches, Samba Diallo tremblait de tout son corps et s'ingéniait à répéter correctement son verset, à refréner les râles que la douleur lui arrachait.

– Sois précis en répétant la Parole de ton Seigneur... Il t'a fait la grâce de descendre Son Verbe jusqu'à toi. Ces paroles, le Maître du Monde les a véritablement prononcées. Et toi, misérable moisissure de la terre, quand tu as l'honneur de les répéter après lui, tu te négliges au point de les profaner. Tu mérites qu'on te coupe mille fois la langue...

– Oui... Maître... Grâce... Je ne me tromperai plus. Écoute...

Une fois encore, tremblant et haletant, il répéta la phrase étincelante. Ses yeux étaient implorants, sa voix mourante, son petit corps était moite de fièvre, son cœur battait follement. Cette phrase qu'il ne comprenait pas, pour laquelle il souffrait le martyre, il l'aimait pour son mystère et sa sombre beauté. Cette parole n'était pas comme les autres. C'était une parole que jalonnait la souffrance, c'était une parole venue de Dieu, elle était un miracle, elle était telle que Dieu lui-même l'avait prononcée. Le maître avait raison. La parole qui vient de Dieu doit être dite exactement, telle qu'il Lui avait plu de la façonner. Qui l'oblitère mérite la mort...

L'enfant réussit à maîtriser sa souffrance. Il répéta la phrase sans broncher, calmement, posément, comme si la douleur ne l'eût pas lanciné.

Le maître lâcha l'oreille sanglante. Pas une larme n'avait coulé sur le fin visage de l'enfant. Sa voix était calme et son débit mesuré. La Parole de Dieu coulait, pure et limpide, de ses lèvres ardentes. Sa tête endolorie était bruissante. Il contenait en lui la totalité du monde, ce qu'il a de visible et ce qu'il a d'invisible, son passé et son avenir. Cette parole qu'il enfantait dans la douleur, elle était l'architecture du monde, elle était le monde même.

Le maître qui tenait maintenant une bûche ardente tirée du foyer tout proche regardait et écoutait l'enfant. Mais pendant que sa main menaçait, son regard avide admirait et son attention buvait la parole du garçonnet. Quelle pureté et quel miracle ! Cet enfant, véritablement, était un don de Dieu. Depuis quarante ans qu'il s'était voué à la tâche, combien méritoire, d'ouvrir à Dieu l'intelligence des fils de l'homme, le maître n'en avait jamais rencontré qui, autant que ce garçon et par toutes ses dispositions, attendît Dieu d'une telle âme. Tant qu'il vivra avec Dieu, cet enfant, ainsi que l'homme qu'il

deviendra, pourra prétendre – le maître en était convaincu –
aux niveaux les plus élevés de la grandeur humaine. Mais,
inversement, la moindre éclipse... Mais à Dieu ne plaise,
le maître chassait cette éventualité de toute la force de sa
foi. Toujours en considérant l'enfant, il fit une courte prière,
mentalement : « Seigneur, n'abandonne jamais l'homme qui
s'éveille en cet enfant, que la plus petite mesure de ton empire
ne le quitte pas, la plus petite partie du temps... »

« Seigneur, songeait l'enfant en psalmodiant son verset,
Ta Parole doit être prononcée telle que Tu l'as parlée... »

La bûche ardente lui roussit la peau. Sous la brûlure,
il bondit, secoua spasmodiquement la chemise légère qu'il
portait et se rassit, jambes croisées, yeux baissés sur sa tablette,
à quelques pas du maître. Reprenant le verset, il rectifia le
lapsus.

– Ici, approche ! Tant que de vaines pensées te
distrairont de la Parole, je te brûlerai... Sois attentif : tu le peux.
Répète avec moi : « Dieu, donnez-moi. »

– Dieu, donnez-moi l'attention...

– Encore...

– Dieu, donnez-moi l'attention...

– Maintenant, reprends ton verset.

L'enfant, tremblant et soumis, reprit la psalmodie
passionnée du verset incandescent. Il le répéta jusqu'au bord
de l'inconscience.

Le maître, rasséréné, était plongé dans ses prières.
L'enfant savait sa leçon du matin.

Sur un signe du maître, il avait rangé sa tablette. Mais il
ne bougeait pas, absorbé dans l'examen du maître qu'il voyait
maintenant de profil. L'homme était vieux, maigre et émacié,
tout desséché par ses macérations. Il ne riait jamais. Les seuls
moments d'enthousiasme qu'on pouvait lui voir étaient ceux
pendant lesquels, plongé dans ses méditations mystiques, ou
écoutant réciter la Parole de Dieu, il se dressait tout tendu et

semblait s'exhausser du sol, comme soulevé par une force intime. Les moments étaient nombreux par contre où, poussé dans une colère frénétique par la paresse ou les bévues d'un disciple, il se laissait aller à des violences d'une brutalité inouïe. Mais ces violences, on l'avait remarqué, étaient fonction de l'intérêt qu'il portait au disciple en faute. Plus il le tenait en estime, plus folles étaient ses colères. Alors, verges, bûches enflammées, tout ce qui lui tombait sous la main servait au châtiment. Samba Diallo se souvenait qu'un jour, pris d'une colère démente, le maître l'avait précipité à terre et l'avait furieusement piétiné, comme font certains fauves sur leur proie.

Le maître était un homme redoutable à beaucoup d'égards. Deux occupations remplissaient sa vie : les travaux de l'esprit et les travaux des champs. Il consacrait aux travaux des champs le strict minimum de son temps et ne demandait pas à la terre plus qu'il ne faut pour sa nourriture, extrêmement frugale, et celle de sa famille, sans les disciples. Le reste de son temps, il le consacrait à l'étude, à la méditation, à la prière et à la formation des jeunes gens confiés à ses soins. Il s'acquittait de cette tâche avec une passion réputée dans tout le pays des Diallobé. Des maîtres venant des contrées les plus lointaines le visitaient périodiquement et repartaient édifiés. Les plus grandes familles du pays se disputaient l'honneur de lui envoyer leurs garçons. Généralement, le maître ne s'engageait qu'après avoir vu l'enfant. Jamais aucune pression n'avait pu modifier sa décision, lorsqu'il avait refusé. Mais il arrivait qu'à la vue d'un enfant, il sollicitât de l'éduquer. Il en avait été ainsi pour Samba Diallo.

Deux ans auparavant le garçonnet revenait avec son père, par la voie du fleuve, d'un long voyage à travers les capitales du Diallobé ; lorsque le bateau qui les transportait avait accosté, une nombreuse affluence était accourue dans la cabine qu'occupait le père du garçon. Les visiteurs qui se succédaient venaient courtoisement saluer ce fils du pays que ses fonctions administratives maintenaient, de longues périodes durant, loin de son terroir.

Le maître était venu parmi les derniers. Quand il pénétra dans la cabine, Samba Diallo était juché sur les genoux de son père, lui-même assis sur un fauteuil. Deux autres hommes étaient là : le directeur de l'école régionale et le cousin de Samba Diallo, qui était le chef coutumier de la province. À l'entrée du maître, les trois hommes s'étaient levés. Le père de Samba Diallo avait pris le maître par le bras et l'avait forcé à s'asseoir sur le fauteuil qu'il venait de quitter lui-même.

Les trois hommes s'étaient longuement entretenus des sujets les plus divers, mais leurs propos revenaient régulièrement sur un sujet unique : celui de la foi et de la plus grande gloire de Dieu.

– Monsieur le directeur d'école, disait le maître, quelle bonne nouvelle enseignez-vous donc aux fils des hommes pour qu'ils désertent nos foyers ardents au profit de vos écoles ?

– Rien, grand maître... ou presque. L'école apprend aux hommes seulement à lier le bois au bois... pour faire des édifices de bois...

Le mot école, prononcé dans la langue du pays, signifiait bois. Les trois hommes sourirent d'un air entendu et légèrement méprisant à ce jeu de mots classique à propos de l'école étrangère.

– Les hommes, certes, doivent apprendre à se construire des demeures qui résistent au temps, dit le maître.

– Oui. Cela est vrai surtout de ceux qui, avant l'arrivée des étrangers, ne savaient point construire de maisons.

– Vous-même, chef des Diallobé, ne répugnez-vous pas à envoyer vos enfants à l'école étrangère ?

– À moins de contrainte, je persisterai dans ce refus, maître, s'il plaît à Dieu.

– Je suis bien de votre avis, chef – c'est le directeur de l'école qui parlait –, je n'ai mis mon fils à l'école que parce que je ne pouvais faire autrement. Nous n'y sommes allés nous-mêmes que sous l'effet de la contrainte. Donc, notre refus est certain... Cependant, la question est troublante. Nous refusions l'école pour demeurer nous-mêmes et pour conserver à Dieu sa place dans nos cœurs. Mais avons-nous encore suffisamment de force pour résister à l'école et de substance pour demeurer nous-mêmes?

Un silence lourd s'établit entre les trois hommes. Le père de Samba Diallo, qui était resté méditatif, parla lentement, selon son habitude, en fixant le sol devant lui, comme s'il s'adressait à lui-même.

– Il est certain que rien n'est aussi bruyamment envahissant que les besoins auxquels leur école permet de satisfaire. Nous n'avons plus rien... grâce à eux, et c'est par là qu'ils nous tiennent. Qui veut vivre, qui veut demeurer soi-même, doit se compromettre. Les forgerons et les bûcherons sont partout victorieux dans le monde et leur fer nous maintient sous leur loi. S'il ne s'agissait encore que de nous, que de la conservation de notre substance, le problème eût été moins compliqué : ne pouvant les vaincre, nous eussions choisi de disparaître plutôt que de leur céder. Mais nous sommes parmi les derniers hommes au monde à posséder Dieu tel qu'Il est véritablement dans Son Unicité... Comment Le sauver? Lorsque la main est faible, l'esprit court de grands risques, car c'est elle qui le défend...

– Oui, dit l'instituteur, mais aussi l'esprit court de grands risques lorsque la main est trop forte.

Le maître, tout à sa pensée, leva lentement la tête et considéra les trois hommes.

– Peut-être est-ce mieux ainsi? Si Dieu a assuré leur victoire sur nous, c'est qu'apparemment, nous qui sommes Ses zélateurs, nous l'avons offensé. Longtemps, les adorateurs de Dieu ont gouverné le monde. L'ont-ils fait selon Sa loi? Je ne sais pas... J'ai appris qu'au pays des Blancs, la révolte contre la misère ne se distingue pas de la révolte contre Dieu. L'on dit que le mouvement s'étend, et que, bientôt, dans le monde, le même grand cri contre la misère couvrira partout la voix des muezzins. Quelle n'a pas dû être la faute de ceux qui croient en Dieu si, au terme de leur règne sur le monde, le nom de Dieu suscite le ressentiment des affamés ?

– Maître, votre parole est terrible. Que la pitié de Dieu soit sur nous, proféra le père de Samba Diallo après un silence... Mais faut-il pousser nos enfants dans leur école ?

– Il est certain que leur école apprend mieux à lier le bois au bois et que les hommes doivent apprendre à se construire des demeures qui résistent au temps.

– Même au prix de Son Sacrifice ?

– Je sais aussi qu'il faut Le sauver. Il faut construire des demeures solides pour les hommes et il faut sauver Dieu à l'intérieur de ces demeures. Cela, je le sais. Mais ne me demandez pas ce qu'il faut faire demain matin, car je ne le sais pas.

La conversation dura ainsi, morne et entrecoupée de grands silences. Le pays Diallobé, désemparé, tournait sur lui-même comme un pur-sang pris dans un incendie.

Le maître, dont le regard était revenu à diverses reprises sur Samba Diallo, attentif et silencieux, demanda en le désignant du doigt à son père :

– Quel âge a-t-il ?

– Six ans.

– Encore un an et il devra, selon la Loi, se mettre en quête de notre Seigneur. Il me plairait d'être son guide dans cette randonnée. Voulez-vous ? Votre fils, je le crois, est de la graine dont le pays des Diallobé faisait ses maîtres.

Après un silence, il ajouta :

– Et les maîtres des Diallobé étaient aussi les maîtres que le tiers du continent se choisissait pour guides sur la voie de Dieu en même temps que dans les affaires humaines.

Les trois hommes s'étaient recueillis. Le père du garçon parla :

– S'il plaît à Dieu, maître, je vous confie mon fils. Je vous l'enverrai dès l'année prochaine, quand il sera en âge et que je l'aurai préparé.

L'année suivante en effet, Samba Diallo, conduit par sa mère, revenait au maître qui prit possession de lui, corps et âme. Désormais et jusqu'à ce qu'il eût achevé ses humanités, il n'appartenait plus à sa famille.

« La paix de Dieu soit sur cette maison. Le pauvre disciple est en quête de sa pitance journalière. »

La phrase, chevrotée plaintivement par Samba Diallo, fut reprise par ses trois compagnons. Sous la morsure du vent frais du matin, les quatre jeunes gens grelottaient sous leurs légers haillons, à la porte de la vaste demeure du chef des Diallobé.

– « Gens de Dieu, songez à votre mort prochaine. Éveillez-vous, oh, éveillez-vous ! Azraël, l'Ange de la mort, déjà fend la terre vers vous. Il va surgir à vos pieds. Gens de Dieu, la mort n'est pas cette sournoise qu'on croit, qui vient quand on ne l'attend pas, qui se dissimule si bien que lorsqu'elle est venue plus personne n'est là. »

Les trois autres disciples reprirent en chœur :

– « Qui nourrira aujourd'hui les pauvres disciples ? Nos pères sont vivants et nous mendions comme des orphelins. Au nom de Dieu, donnez à ceux qui mendient pour Sa Gloire. Hommes qui dormez, songez aux disciples qui passent ! »

Ils se turent. Samba Diallo reprit seul :

– « Gens de Dieu, la mort n'est pas cette nuit qui pénètre d'ombre, traîtreusement, l'ardeur innocente et vive d'un jour d'été. Elle avertit, puis elle fauche en plein midi de l'intelligence. »

Les trois disciples en chœur :

– « Hommes et femmes qui dormez, songez à peupler par vos bienfaits la solitude qui habitera vos tombeaux. Nourrissez le pauvre disciple ! »

– Gens de Dieu, vous êtes avertis, reprit Samba Diallo. On meurt lucidement, car la mort est violente qui triomphe, négation qui s'impose. Que la mort dès à présent soit familière à vos esprits... »

Sous le vent du matin, Samba Diallo improvisait des litanies édifiantes, reprises par ses compagnons, à la porte close de son cousin, le chef des Diallobé. Les disciples circuleront ainsi, de porte en porte, jusqu'à ce qu'ils aient rassemblé suffisamment de victuailles pour leur nourriture du jour. Demain, la même quête recommencera, car le disciple, tant qu'il cherche Dieu, ne saurait vivre que de mendicité, quelle que soit la richesse de ses parents.

La porte du chef s'ouvrit enfin. Une de ses filles parut, qui fit un sourire à Samba Diallo. Le visage du garçon demeura fermé. La jeune fille déposa à terre une large assiette contenant les reliefs du repas de la veille. Les disciples s'accroupirent dans la poussière et commencèrent leur premier repas du jour. Lorsqu'ils eurent mangé à leur faim, ils mirent précautionneusement le reste dans leurs sébiles. Samba Diallo, de son index replié, nettoya l'assiette sur toute sa surface et porta la boulette ainsi recueillie à sa bouche. Il se releva ensuite et tendit l'assiette à sa cousine.

– Merci, Samba Diallo. Bonne journée, fit-elle dans un sourire.

Samba Diallo ne répondit pas. Mais Mariam était habituée à son humeur taciturne et presque tragique. Quand elle eut tourné le dos, Demba, le plus âgé des quatre disciples du groupe de Samba Diallo, claqua la langue et s'esclaffa, s'efforçant à la vulgarité :

– Si j'avais une cousine avec des fossettes si mignon-nettes...

Il s'interrompit, car Samba Diallo, qui avait déjà fait quelques pas vers le portail, s'était arrêté et le fixait de son regard tranquille.

– Écoute, Samba Diallo, dit Demba, sans toi, je sais que ma nourriture de la journée serait considérablement réduite. Nul, parmi tous les disciples du pays, ne sait autant que toi, en inspirant aux honnêtes gens une peur aussi salutaire d'Azraël, arracher à leur égoïsme cette aumône dont nous vivons. Ce matin, en particulier, tu as atteint un tragique inégalable.

J'avoue que moi-même j'ai été sur le point de dépouiller mes haillons pour t'en faire offrande.

Les disciples s'esclaffèrent.

– Eh bien ? s'enquit Samba Diallo d'une voix qu'il s'efforçait de maîtriser.

– Eh bien, tu es le plus fort de tous les disciples, mais assurément tu es aussi le plus triste. On te sourit après t'avoir nourri, mais tu demeures morose... De plus, tu n'entends rien à la plaisanterie.

– Demba, je t'ai déjà dit que rien ne te retenait à côté de moi. Tu peux partir avec un autre... Je ne t'en voudrai pas.

– Quelle magnanimité, mes amis ! s'écria Demba, go-guenard, en s'adressant aux autres disciples. Quelle magnani-mité ! Même quand il congédie, il congédie noblement... Va, me dit-il, abandonne-moi. Et si tu meurs de faim, je ne t'en voudrai pas.

Les disciples éclatèrent de rire.

– Bon, bon, poursuivit Demba. C'est entendu, grand chef, tu seras obéi.

Samba Diallo tressaillit. Demba lui cherchait querelle : il ne pouvait plus en douter. Tous les disciples savaient combien il lui déplaisait que soit fait cas de son origine patricienne. Assurément, il était le mieux né de tout le foyer du maître des Diallobé. Nul, dans ce pays, ne le lui laissait ignorer. Lorsqu'il mendiait sa nourriture et, comme ce matin, passait dans toutes les demeures, des plus humbles aux plus cossues, chacun, en lui apportant les restes pourris des repas, lui manifestait par un signe ou par un geste que sous ses haillons le pays reconnaissait et saluait déjà un de ses guides futurs. La noblesse de son origine lui pesait, non point comme un fardeau dont il eût peur, mais à la manière d'un diadème trop encombrant et trop visible. À la manière d'une injustice aussi. Il désirait la noblesse, certes, mais une noblesse plus discrète, plus authentique, non point acquise mais conquise durement et qui fût plus spirituelle que temporelle. Il s'était humilié et mortifié, par manière d'exercice et aussi pour manifester hautement qu'il revendiquait d'être aligné au niveau de tous ses condisciples. Mais rien n'y avait fait. Il semblait au contraire que ses camarades lui en voulussent de ce que, par-devers eux, ils n'étaient pas loin de considérer comme le comble de l'orgueil. Il ne se passait pas de jour que quelqu'un ne fît de remarque sur la noblesse de son port ou sur l'élégance racée de son maintien, en dépit des haillons sordides dont il se couvrait. Il arrivait même qu'on lui fît grief de ses mouvements naturels de générosité et jusqu'à sa franchise. Plus il se surveillait, plus on le dénonçait. Il en était exaspéré.

Ses compagnons de groupe du moins s'étaient abstenus jusqu'à présent de lui faire des remarques désobligeantes. Il leur en savait gré, silencieusement, quoiqu'il ne se fît pas d'illusions sur ce que certains pensaient réellement. Il savait que Demba, notamment, l'enviait. Ce fils de paysan, patient et obstiné, portait en lui une ambition d'adolescent, vivace et intraitable. « Mais du moins, songeait Samba Diallo, Demba a su se taire jusqu'ici. Pourquoi me cherche-t-il querelle ce matin ? »

– Dites-moi, les gars, quel est, à votre avis, parmi les autres meneurs du foyer celui que je devrais suivre ? Puisque je reçois mon congé de Samba Diallo, je dois limiter les dégâts en choisissant bien. Voyons...

– Tais-toi, Demba, je t'en prie, tais-toi, s'écria Samba Diallo.

– Voyons, poursuivit Demba, imperturbable, bien sûr, de toute façon mon nouveau meneur ne peut valoir Samba Diallo dans l'art de l'imprécation, car, notez bien, ajouta-t-il s'adressant toujours au groupe, votre prince ne l'est pas seulement de sang ! Il lui faut tout ! Il est aussi prince de l'esprit ! D'ailleurs, le grand maître lui-même le sait. L'avez-vous remarqué ? Il a un faible pour Samba Diallo.

– Tu mens ! Tais-toi, Demba, tu sais bien que tu mens ! Le maître ne peut pas avoir de préférence pour moi et...

Il s'interrompit et haussa les épaules.

Il était à quelques pas de Demba. Les deux jeunes gens avaient à peu près la même taille, mais tandis que Samba Diallo, qui d'impatience dansait lentement sur une jambe puis sur l'autre, était tout en lignes longues et nerveuses, Demba, lui, était plutôt rondelet, paisible et immobile.

Samba Diallo se détourna lentement et marcha de nouveau vers le portail qu'il franchit. Dans la ruelle, il sentit derrière lui le mouvement lent de ses compagnons qui le suivaient.

– Il a toutes les qualités, sauf une cependant, il n'est pas courageux.

Samba Diallo s'immobilisa, déposa sa sébile à terre et revint à Demba.

– Je ne tiens pas à me battre avec toi, Dembel, lui dit-il.

– Non, hurla l'interpellé. Ne m'appelle pas Dembel. Pas de familiarité.

– Soit, Demba. Mais je ne veux pas me battre. Pars ou reste mais n'en parlons plus.

En même temps qu'il parlait, Samba Diallo se surveillait, attentif à maîtriser cette vibration qui lui parcourait le corps, à dissiper cette odeur de feu de brousse qui lui chatouillait les narines.

– Pars ou reste, répéta-t-il lentement, comme dans un rêve.

De nouveau, il tourna le dos à Demba et s'en alla. À ce moment, son pied buta sur un obstacle, comme un piège tendu devant lui. Il s'affala de tout son long. Quelqu'un – il ne sut jamais qui – lui avait fait un croc-en-jambe.

Quand il se releva, nul de ceux qui étaient là n'avait bougé, mais il ne vit personne d'autre que, devant lui, toujours immobile, une silhouette qui tout à l'heure encore représentait Demba, et qui à présent était la cible que son corps et tout son être avaient choisie. Il n'eut plus conscience de rien, sinon vaguement que son corps, comme un bélier, s'était catapulté sur la cible, que le nœud de deux corps enroulés était tombé à terre, que sous lui quelque chose se débattait et haletait, et qu'il frappait. Maintenant son corps ne vibrait plus, mais se pliait et se dépliait, merveilleusement souple, et frappait la cible à terre, son corps ne vibrait plus, sinon en écho merveilleux des coups qu'il frappait et chaque coup calmait un peu la sédition du corps, restituait un peu de clarté à son intelligence obnubilée. Sous lui, la cible se débattait, haletait et frappait aussi, peut-être, mais il ne sentait rien, que progressivement la maîtrise de son corps imposait à la cible, la paix que les coups qu'il assenait restituaient à son corps, la clarté qu'ils lui rendaient. Soudain la cible s'arrêta de bouger, et, la clarté fut entière. Samba Diallo perçut que le silence s'était fait, et aussi que deux bras puissants l'avaient saisi et s'efforçaient de lui faire lâcher prise.

Lorsqu'il leva la tête, son regard rencontra un grand visage altier, une tête de femme qu'emmitouflait une légère voilette de gaze blanche.

On la nommait la Grande Royale. Elle avait soixante ans et on lui en eût donné quarante à peine. On ne voyait d'elle que le visage. Le grand boubou bleu qu'elle portait traînait jusqu'à terre et ne laissait rien apparaître d'elle que le bout pointu de ses babouches jaunes d'or, lorsqu'elle marchait. La voilette de gaze entourait le cou, couvrait la tête, repassait sous le menton et pendait derrière, sur l'épaule gauche. La Grande Royale, qui pouvait bien avoir un mètre quatre-vingts, n'avait rien perdu de sa prestance malgré son âge.

La voilette de gaze blanche épousait l'ovale d'un visage aux contours pleins. La première fois qu'il l'avait vue, Samba Diallo avait été fasciné par ce visage, qui était comme une page vivante de l'histoire du pays des Diallobé. Tout ce que le pays compte de tradition épique s'y lisait. Les traits étaient tout en longueur, dans l'axe d'un nez légèrement busqué. La bouche était grande et forte sans exagération. Un regard extraordinairement lumineux répandait sur cette figure un éclat impérieux. Tout le reste disparaissait sous la gaze qui, davantage qu'une coiffure, prenait ici une signification de symbole. L'Islam refrénait la redoutable turbulence de ces traits, de la même façon que la voilette les enserrait. Autour des yeux et sur les pommettes, sur tout ce visage, il y avait comme le souvenir d'une jeunesse et d'une force sur lesquelles se serait apposé brutalement le rigide éclat d'un souffle ardent.

La Grande Royale était la sœur aînée du chef des Diallobé. On racontait que, plus que son frère, c'est elle que le pays craignait. Si elle avait cessé ses infatigables randonnées à cheval, le souvenir de sa grande silhouette n'en continuait pas moins de maintenir dans l'obéissance des tribus du Nord, réputées pour leur morgue hautaine. Le chef des Diallobé était de nature plutôt paisible. Là où il préférait en appeler à la compréhension, sa sœur tranchait par voie d'autorité.

« Mon frère n'est pas un prince, avait-elle coutume de dire. C'est un sage. » Ou bien encore : « Le souverain ne doit jamais raisonner au grand jour, et le peuple ne doit pas voir son visage de nuit. »

Elle avait pacifié le Nord par sa fermeté. Son prestige avait maintenu dans l'obéissance les tribus subjuguées par sa personnalité extraordinaire. C'est le Nord qui l'avait surnommée la Grande Royale.

Le silence s'était fait parmi les disciples médusés. Elle s'adressa à Samba Diallo.

– J'avais prévenu ton grand fou de père que ta place n'est pas au foyer du maître, dit-elle. Quand tu ne te bats pas comme un manant, tu terrorises tout le pays par tes imprécations contre la vie. Le maître cherche à tuer la vie en toi. Mais je vais mettre un terme à tout cela. Va m'attendre à la maison...

Ayant dit, elle reprit sa marche. Les disciples se dispersèrent.

Lorsqu'au soir le maître vit Samba Diallo revenir, couvert d'ecchymoses et habillé de neuf, il eut une colère terrible.

– Viens ici, l'interpella-t-il du plus loin qu'il le vit. Approche, fils de prince, je jure que je réduirai en toi la morgue des Diallobé.

Il le dévêtit jusqu'à la ceinture et le battit longuement, furieusement. Samba Diallo, inerte, subit l'orage. Le maître appela ensuite le disciple le plus pauvre, le plus mal habillé du foyer et lui ordonna d'échanger ses hardes contre les habits neufs de Samba Diallo, ce qui fut fait à la grande joie du disciple. Samba Diallo revêtit avec indifférence les haillons de son camarade.

Tous les disciples étaient revenus. Chacun d'eux avait repris sa tablette et rejoint sa place en un grand cercle. La Parole, scandée par toutes ces voix juvéniles, montait, sonore et bienfaisante au cœur du maître, assis au centre. Il considéra Samba Diallo.

Le garçon lui donnait entière satisfaction, sauf sur un point. Le regard perçant du vieil homme avait décelé chez l'adolescent ce qui, à son sens, à moins d'être combattu de bonne heure, faisait le malheur de la noblesse du pays des Diallobé, et à travers elle du pays tout entier. Le maître croyait profondément que l'adoration de Dieu n'était compatible avec aucune exaltation de l'homme. Or, au fond de toute noblesse, il est un fond de paganisme. La noblesse est l'exaltation de l'homme, la foi est avant tout humilité, sinon humiliation. Le maître pensait que l'homme n'a aucune raison de s'exalter, sauf précisément dans l'adoration de Dieu. Encore qu'il s'en défendît, il aimait Samba Diallo comme jamais il n'avait aimé un disciple. Sa dureté pour le garçon était à la mesure de l'impatience où il était de le débarrasser enfin de toutes ses infirmités morales, et de faire de lui le chef-d'œuvre de sa longue carrière. Il avait formé de nombreuses générations d'adolescents et se savait maintenant près de la mort. Mais, en même temps que lui, il sentait que le pays des Diallobé se mourait sous l'assaut des étrangers venus d'au-delà des mers. Avant de partir, le maître essaierait de laisser aux Diallobé un homme comme le grand passé en avait produit.

Le maître se souvenait. Du temps de son adolescence les enfants des grandes familles – dont il était – vivaient encore tout leur jeune âge loin des milieux aristocratiques dont ils étaient issus, anonymes et pauvres parmi le peuple, et de l'aumône de ce peuple.

Au bout de ce compagnonnage, ils revenaient de leur longue pérégrination parmi les livres et les hommes, doctes et démocrates, aguerris et lucides.

Le maître médita longuement, réveillé au souvenir des temps évanouis où le pays vivait de Dieu et de la forte liqueur de ses traditions.

***

Ce soir-là, alors qu'il priait silencieusement au bord de sa case, le maître sentit soudain auprès de lui une présence. Lorsqu'il leva la tête, son regard rencontra « un grand visage altier, une tête de femme qu'emmitouflait une légère voilette de gaze blanche ».

– La paix règne-t-elle dans votre demeure, maître des Diallobé ?

– Je rends grâce à Dieu, Grande Royale. La paix règne-t-elle chez vous de même ?

– Grâces soient rendues au Seigneur.

Elle se déchaussa à trois pas du maître et prit place sur le tapis qu'il lui indiqua.

– Maître, je viens vous voir au sujet de Samba Diallo. Ce matin, j'ai entendu les litanies qu'il improvisait.

– Je les ai entendues aussi. Elles sont belles et profondes.

– J'en ai été effrayée. Je sais bien que la pensée de la mort tient le croyant éveillé et je compte l'inquiétude qu'elle met dans nos cœurs parmi les bienfaits de Notre-Seigneur. Je sais aussi quelle fierté je devrais éprouver des dons d'intelligence qu'il a plu à Notre-Seigneur d'impartir à mon jeune cousin.

– Oui, dit lentement le maître comme se parlant à lui-même. Il n'est pas un des lourds croyants éveillés par ses sermons matinaux dans le cœur de qui, à la grande terreur qu'il suscite, ne se mêle un sentiment d'admiration.

– Néanmoins, je suis inquiète, maître. Cet enfant parle de la mort en termes qui ne sont pas de son âge. Je venais vous demander, humblement, pour l'amour de ce disciple que vous chérissez, de vous souvenir de son âge, dans votre œuvre d'édification.

Ayant dit, la Grande Royale se tut. Le maître demeura longtemps silencieux. Quand il parla, ce fut pour poser une question.

– Grande Royale, vous souvenez-vous de votre père ?

– Oui, maître, répondit-elle simplement, surprise néanmoins.

– Moins que moi, car je l'ai connu bien avant vous et l'ai toujours approché de près. Mais vous souvenez-vous dans quelles dispositions il mourut ?

– Je me souviens, certes.

– Moins que moi encore, car c'est moi qui lui ai dit la prière des agonisants et qui l'ai enterré. Permettez-moi de l'évoquer ce soir et cela ne sort point de nos propos.

Le maître se tut un instant, puis reprit :

– Il a longtemps souffert seul, sans que nul n'en sût rien, car il n'avait rien changé dans son mode d'existence. Un jour, il me fit appeler. Lorsque je parus, après qu'il m'eut longuement salué, que nous eûmes causé comme à l'accoutumée, il se leva, alla à une malle qu'il ouvrit et en sortit une grande pièce de percale. « Ceci, me dit-il, est mon linceul et je voudrais que vous m'indiquiez la façon rituelle de le tailler. » Je cherchais son regard. La paix et la gravité que j'y observai anéantirent, dans mon esprit, les vaines paroles de protestation que j'allais prononcer. Je me félicite de les avoir tues, tellement, aujourd'hui encore, je sens en moi leur ridicule, devant cet homme qui dominait sa mort de toute sa stature. J'obéis donc et lui donnai les indications du Livre. Il tailla son linceul de sa propre main. Ayant fini, il me pria de l'accompagner en un lieu retiré de sa demeure, et là, en sa présence, me demanda d'indiquer à son esclave MBare les gestes et le détail de la toilette funéraire. Nous revînmes dans sa chambre alors et causâmes longuement, comme si la souffrance n'eût pas visiblement martyrisé son corps. Quand je me levai pour partir, il me demanda de bien vouloir l'assister quand viendrait l'heure.

« Deux jours après, on vint me quérir de sa part. Je trouvai une famille silencieuse et consternée, une maison remplie de monde. Votre père était dans sa chambre, étendu sur une natte à terre et entouré de beaucoup de personnes. Ce fut la seule fois qu'il ne se leva pas à mon entrée. Il me sourit et, après m'avoir salué, me demanda de réunir tous ceux qu'il avait fait convoquer dans sa maison. « Je les supplie de me dire, avant que je meure, ce que je pourrais leur devoir et que j'aurais oublié de rendre. S'il en est qui conservent le souvenir d'une injustice de moi, qu'on me prévienne et je m'en excuserai publiquement. À tous, je demande que me soient pardonnés les maux particuliers que j'ai pu commettre et le grand mal qui a tenu à ma fonction de chef des Diallobé. Hâtez-vous, s'il vous plaît, je vous attends. » – « M'a-t-on pardonné ? » s'enquit-il à mon retour et tout le monde vit l'inquiétude qui l'agita alors. Je répondis que tous avaient pardonné. Il me posa trois fois cette question. Il eut ensuite la force de saluer tous ceux qui étaient autour de lui. Il me demanda mon bras qu'il serra fort, souhaitant que je fisse de même du sien, et mourut en prononçant le nom de Dieu. Grande Royale, ce fut un chef, votre père, qui me montra, à moi qui traduis le Livre, comme il faut mourir. Je voudrais transmettre ce bienfait à son petit neveu.

— Je vénère mon père et le souvenir que vous en avez. Mais je crois que le temps est venu d'apprendre à nos fils à vivre. Je pressens qu'ils auront affaire à un monde de vivants où les valeurs de mort seront bafouées et faillies.

— Non, madame. Ce sont des valeurs ultimes qui se tiendront encore au chevet du dernier humain. Vous voyez que je blesse la vie dans votre jeune cousin, et vous vous dressez en face de moi. La tâche, cependant ne m'est pas agréable, ni facile. Je vous prie de ne point me tenter, et de laisser à ma main sa fermeté. Après cette blessure profonde, pratiquée d'une main paternelle, je vous promets que plus jamais cet enfant ne se blessera. Vous verrez de quelle stature, lui aussi, dominera la vie et la mort.

Dans la case silencieuse, le maître seul était demeuré. Les disciples s'étaient envolés avec le crépuscule, à la quête de leur repas du soir. Rien ne bougeait, sinon, au-dessus du maître, le frou-frou des hirondelles parmi les lattes enfumées du toit de chaume. Lentement, le maître se leva. Le craquement de toutes ses articulations nouées par les rhumatismes se mêla au bruit du soupir que lui arracha son effort pour se lever. En dépit de la solennité de l'heure – il se levait pour prier – le maître ne put refréner le rire intérieur que suscitait en lui cette grotesque misère de son corps qui, maintenant, regimbait à la prière. « Tu te lèveras et tu prieras, pensa-t-il. Tes gémissements et ton bruit n'y feront rien. » Cette scène était devenue classique. Le maître déclinait. Son corps, chaque jour davantage, accentuait sa fâcheuse propension à rester collé à la terre. Par exemple, le maître ne comptait plus sur ses articulations des pieds, qui lui refusaient toute obéissance.

Il avait résolu de s'en passer et ses jarrets étaient devenus secs et rigides comme le bois mort que brûlaient les disciples. La démarche du maître avait, de ce fait, pris la curieuse allure dandinée des palmipèdes anatidés. Le maître avait dû se résoudre, de la même façon, à ne tenir aucun compte de la pesante douleur qu'il ressentait au niveau des reins, chaque fois qu'il se courbait ou se redressait. Les articulations des genoux et des coudes fonctionnaient encore, quoique en craquant de façon incongrue. Paradoxalement, toute cette souffrance et cette sédition de son corps suscitaient dans l'humeur du maître une gaieté qui le laissait perplexe. Cependant que la douleur le pliait, il avait peine à maintenir son sérieux, comme si le grotesque qu'il observait n'était pas le sien propre. De nouveau, ce rire en lui se retenait d'éclater. À ce moment, le maître qui avait levé les deux bras, face à l'Est, pour commencer sa prière s'interrompit, assombri soudain par un soupçon. Ce rire n'est-il pas impie ? « Peut-être est-ce une mauvaise vanité qui me gonfle ainsi. » Il réfléchit un instant. « Non, pensa-t-il. Mon rire est affectueux. Je ris parce que mon vieux compagnon fait des farces avec le craquement de ses articulations. Mais sa volonté est meilleure que jamais. Je crois bien que même quand il sera tout à fait collé à la terre, de tout son long, sa volonté sera encore très bonne. Il priera, je l'aime bien, va. » Rasséréné, il se recueillit et préluda à sa prière.

Lorsque vint l'émissaire, le maître ne le vit pas. Simplement, il entendit une voix derrière lui.

– Grand maître, le chef souhaiterait que vous lui fassiez l'honneur d'une visite, si vos hautes préoccupations vous en laissent le loisir.

La pensée du maître, lentement et comme à regret, se détacha des cimes qu'elle contemplait. Le maître, à la vérité, revenait de loin.

– Tant que mon corps m'obéira, toujours je répondrai au chef. Ainsi dites-lui que je vous suis, s'il plaît à Dieu.

Quand il pénétra dans la chambre du chef, il le trouva qui priait encore. Il s'assit sur la natte, sortit son chapelet et attendit.

Des volutes odorantes d'encens s'échappaient du grand lit blanc et estompaient légèrement la lumière que diffusait la lampe tempête. Tout dans cette chambre était propre et pur. Le chef, revêtu d'un grand boubou blanc était maintenant assis, immobile, face à l'Est. Sans doute en était-il au témoignage final. Le maître se figea et, par la pensée, avec le chef, répéta, peut-être pour la millionième fois de sa vie, la grande profession de foi :

« Je témoigne qu'il n'y a de divinité que Dieu, et je témoigne que Mohammed est son envoyé… »

Le chef finissait de prier en effet. Il se tourna vers le maître et, des deux mains, le salua longuement.

– Je me serais fait un plaisir et un devoir de venir jusqu'à vous, si vous ne me l'aviez expressément défendu, un jour. Vous disiez, il me souvient : « La stabilité vous est à la fois un privilège et un devoir, à vous, princes de ce monde. »

– En effet, vous êtes le repère et vous êtes le recours. Éprouvez cela un peu, chef du Diallobé. Un homme seul a-t-il le droit d'accaparer ce qui est à tous ? Je réponds non. Si le repère bouge, où vont les hommes ?

– Ils ne savent pas.

– Ainsi du recours, dont la présence les rassure.

Les deux hommes, que la ressemblance de leur nature rapprochait sur l'essentiel, éprouvèrent une fois encore la solidité de l'admiration réciproque qu'ils se vouaient.

– Maître, suis-je un repère suffisamment fixe, un recours suffisamment stable ?

– Vous l'êtes.

– Ainsi. Je suis l'autorité. Où je m'installe, la terre cède et se creuse sous mon poids. Je m'incruste, et les hommes viennent à moi. Maître, on me croit montagne...

– Vous l'êtes.

– Je suis une pauvre chose qui tremble et qui ne sait pas.

– C'est vrai, vous l'êtes aussi.

– Les hommes de plus en plus viennent à moi. Que dois-je leur dire ?

Le maître savait de quoi le chef allait lui parler. Ce sujet, le chef l'avait abordé avec lui mille fois. Les hommes du Diallobé voulaient apprendre à « mieux lier le bois au bois ». Le pays, dans sa masse, avait fait le choix inverse de celui du maître. Pendant que le maître niait la rigidité de ses articulations, le poids de ses reins, niait sa case et ne reconnaissait de réalité qu'à Ce vers Quoi sa pensée à chaque instant s'envolait avec délice, les Diallobé, chaque jour un peu plus, s'inquiétaient de la fragilité de leurs demeures, du rachitisme de leur corps. Les Diallobé voulaient plus de poids.

Lorsque sa pensée buta sur ce mot, le maître tressaillit. Le poids ! Partout il rencontrait le poids. Lorsqu'il voulait prier, le poids s'y opposait, chape lourde de ses soucis quotidiens sur l'élan de sa pensée vers Dieu, masse inerte et de plus en plus sclérosée de son corps sur sa volonté de se lever, dans les gestes de la prière. Il y avait aussi d'autres aspects du poids qui, de même que le Malin, revêt divers visages : la distraction des disciples, les féeries brillantes de leur jeune fantaisie, autant d'hypostases du poids, acharnées à les fixer à terre, à les maintenir loin de la vérité.

– Dites-leur qu'ils sont des courges.

Le maître réprima un sourire. Généralement, l'espièglerie de sa pensée l'amusait. Le chef cependant attendait, sachant par habitude quel fonds il faut faire aux sautes du vénérable.

– La courge est une nature drôle, dit enfin le maître. Jeune, elle n'a de vocation que celle de faire du poids, de désir que celui de se coller amoureusement à la terre. Elle trouve sa parfaite réalisation dans le poids. Puis, un jour, tout change. La courge veut s'envoler. Elle se résorbe et s'évide tant qu'elle peut. Son bonheur est fonction de sa vacuité, de la sonorité de sa réponse lorsqu'un souffle l'émeut. La courge a raison dans les deux cas.

– Maître, où en sont les courges du Diallobé ?

– C'est au jardinier de répondre, pas à moi.

Le chef demeura silencieux un moment.

– Si je leur dis d'aller à l'école nouvelle, ils iront en masse. Ils y apprendront toutes les façons de lier le bois au bois que nous ne savons pas. Mais, apprenant, ils oublieront aussi. Ce qu'ils apprendront vaut-il ce qu'ils oublieront ? Je voulais vous demander : peut-on apprendre ceci sans oublier cela, et ce qu'on apprend vaut-il ce qu'on oublie ?

– Au foyer, ce que nous apprenons aux enfants, c'est Dieu. Ce qu'ils oublient, c'est eux-mêmes, c'est leurs corps et cette propension à la rêverie futile, qui durcit avec l'âge et étouffe l'esprit. Ainsi ce qu'ils apprennent vaut infiniment mieux que ce qu'ils oublient.

— Si je ne dis pas aux Diallobé d'aller à l'école nouvelle, ils n'iront pas. Leurs demeures tomberont en ruine, leurs enfants mourront ou seront réduits en esclavage. La misère s'installera chez eux et leurs cœurs seront pleins de ressentiments...

— La misère est, ici-bas, le principal ennemi de Dieu.

— Cependant, maître, si je vous comprends bien, la misère est aussi absence de poids. Comment donner aux Diallobé la connaissance des arts et l'usage des armes, la possession de la richesse et la santé du corps sans les alourdir en même temps ?

— Donnez-leur le poids, mon frère. Sinon, j'affirme que bientôt il ne restera plus rien ni personne dans le pays. Les Diallobé comptent plus de morts que de naissances. Maître, vous-même, vos foyers s'éteindront.

La Grande Royale était entrée sans bruit, selon son habitude. Elle avait laissé ses babouches derrière la porte. C'était l'heure de sa visite quotidienne à son frère. Elle prit place sur la natte, face aux deux hommes.

— Je me réjouis de vous trouver ici, maître. Peut-être allons-nous mettre les choses au point, ce soir.

— Je ne vois pas comment, madame. Nos voies sont parallèles et toutes deux inflexibles.

— Si fait, maître. Mon frère est le cœur vivant de ce pays mais vous en êtes la conscience. Enveloppez-vous d'ombre, retirez-vous dans votre foyer et nul, je l'affirme, ne pourra donner le bonheur aux Diallobé. Votre maison est la plus démunie du pays, votre corps le plus décharné, votre apparence la plus fragile. Mais nul n'a, sur ce pays, un empire qui égale le vôtre.

Le maître sentait la terreur le gagner doucement, à mesure que cette femme parlait. Ce qu'elle disait, il n'avait jamais osé se l'avouer très clairement, mais il savait que c'était la vérité.

L'homme, toujours, voudra des prophètes pour l'absoudre de ses insuffisances. Mais pourquoi l'avoir choisi, lui, qui ne savait même pas à quoi s'en tenir sur son propre compte ? À ce moment, sa pensée lui remémora son rire intérieur à l'instant solennel de sa prière. « Je ne sais même pas pourquoi j'ai ri. Ai-je ri parce que, en vainquant mon corps, j'avais conscience de faire plaisir à mon Seigneur, ou par vanité, tout simplement ? Je ne sais pas décider de ce point. Je ne me connais pas... Je ne me connais pas, et c'est moi qu'on choisit de regarder ! Car on me regarde. Tous ces malheureux m'épient et, tels des caméléons, se colorent à mes nuances. Mais je ne veux pas : je ne veux pas ! Je me compromettrai. Je commettrai une grande indignité, s'il plaît à Dieu, pour leur montrer qui je suis. Oui... »

— Mon frère, n'est-il pas vrai que sans la lumière des foyers nul ne peut rien pour le bonheur des Diallobé ? Et, grand maître, vous savez bien qu'il n'est point de dérobade qui puisse vous libérer.

— Madame, Dieu a clos la sublime lignée de ses envoyés avec notre prophète Mohammed, la bénédiction soit sur lui. Le dernier messager nous a transmis l'ultime Parole où tout a été dit. Seuls les insensés attendent encore.

— Ainsi que les affamés, les malades, les esclaves. Mon frère, dites au maître que le pays attend qu'il acquiesce.

— Avant votre arrivée, je disais au maître : « Je suis une pauvre chose qui tremble et qui ne sait pas. » Ce lent vertige qui nous fait tourner, mon pays et moi, prendra-t-il fin ? Grande Royale, dites-moi que votre choix vaudra mieux que le vertige ; qu'il nous en guérira et ne hâtera pas notre perte, au contraire. Vous êtes forte. Tout ce pays repose sous votre grande ombre. Donnez-moi votre foi.

— Je n'en ai pas. Simplement, je tire la conséquence de

prémisses que je n'ai pas voulues. Il y a cent ans, notre grand-père, en même temps que tous les habitants de ce pays, a été réveillé un matin par une clameur qui montait du fleuve. Il a pris son fusil et, suivi de toute l'élite, s'est précipité sur les nouveaux venus. Son cœur était intrépide et il attachait plus de prix à la liberté qu'à la vie. Notre grand-père, ainsi que son élite, ont été défaits. Pourquoi? Comment? Les nouveaux venus seuls le savent. Il faut le leur demander ; il faut aller apprendre chez eux l'art de vaincre sans avoir raison. Au surplus, le combat n'a pas cessé encore. L'école étrangère est la forme nouvelle de la guerre que nous font ceux qui sont venus, et il faut y envoyer notre élite, en attendant d'y pousser tout le pays. Il est bon qu'une fois encore l'élite précède. S'il y a un risque, elle est la mieux préparée pour le conjurer, parce que la plus fermement attachée à ce qu'elle est. S'il est un bien à tirer, il faut que ce soit elle qui l'acquière la première. Voilà ce que je voulais vous dire, mon frère. Et, puisque le maître est présent, je voudrais ajouter ceci. Notre détermination d'envoyer la jeunesse noble du pays à l'école étrangère ne sera obéie que si nous commençons par y envoyer nos propres enfants. Ainsi, je pense que vos enfants, mon frère, ainsi que notre cousin Samba Diallo doivent ouvrir la marche.

À ces mots, le cœur du maître se serra étrangement.

« Seigneur, se peut-il que je me sois tant attaché à cet enfant? Ainsi, j'ai des préférences dans mon foyer... Ainsi, ô mon Dieu ! Pardonnez-moi. Et ils me regardent, me veulent pour guide. »

– Samba Diallo est votre enfant. Je vous le rendrai dès que vous en exprimerez le souhait.

La voix du maître était légèrement enrouée cependant qu'il s'exprimait ainsi.

– De toute façon, répondit le chef, cela est un autre problème.

Chapitre IV

Samba Diallo pressentait vaguement l'importance du problème dont il était le centre. Il avait souvent vu la Grande Royale se dresser, seule, contre l'ensemble des hommes de la famille Diallobé, groupés autour du maître. Sur le moment, elle était toujours victorieuse, parce que nul n'osait lui tenir tête longtemps. Elle était l'aînée. La Grande Royale enlevait alors Samba Diallo presque de force, et le gardait chez elle, renvoyant tous les émissaires que lui dépêchait le chef. Elle gardait Samba Diallo une semaine d'affilée, le choyant de toutes les façons, comme pour corriger les effets de l'éducation du foyer, dans ce qu'elle pouvait avoir d'excessif.

Samba Diallo se laissait gâter avec apparemment la même profonde égalité d'âme que lorsqu'il subissait les mauvais traitements du foyer. Il se sentait incontestablement heureux, chez la Royale. Mais il n'y éprouvait pas cependant cette plénitude du foyer, qui faisait battre son cœur, par exemple lorsque, sous la redoutable surveillance du maître, il prononçait la Parole. La vie au foyer était douloureuse constamment et d'une souffrance qui n'était pas seulement du corps...

Elle en acquérait comme un regain d'authenticité.

Lorsque au bout d'une semaine la Grande Royale le relâchait, repu de gâteries, le chef des Diallobé et le maître redoublaient de sévérité, comme pour lui faire expier cette semaine de bonheur.

Ce fut au cours d'une de ces semaines de sévérité concertée qu'il se découvrit une retraite où nul n'eût songé à venir le chercher.

Or, depuis quelques jours, il lui était devenu extrêmement pénible de vivre au village. Le maître était devenu bizarre, et semblait-il à Samba Diallo, à la fois moins sévère et plus distant. Il n'était pas jusqu'à la Grande Royale qui ne parût l'éviter un peu. Cette situation persista si longtemps, au gré du garçon, qu'un soir, n'y tenant plus, il reprit le chemin de son asile.

« Vieille Rella, songea-t-il lorsqu'il se fut allongé à côté d'elle, bonsoir, Vieille Rella, si tu m'entends. »

C'est ainsi que, chaque fois, il s'annonçait. Il doutait à peine qu'elle l'entendît.

Naturellement, jamais elle ne lui avait répondu, et c'était là un argument de poids en faveur du doute. Samba Diallo savait même qu'à l'intérieur de ces monticules de terre, il ne restait qu'un petit tas d'ossements. Un jour qu'il se rendait près de la Vieille Rella, il avait, par inadvertance, marché sur un tertre semblable à celui sous lequel reposait son amie silencieuse, et le tertre avait cédé. Lorsqu'il avait tiré son pied, il avait aperçu, au fond du trou qu'il venait de creuser ainsi, une excavation. Il s'était penché et avait distingué, dans la pénombre, une blancheur qui luisait doucement. Ainsi, il avait su que, sous tous ces tertres, il n'y. avait plus de chair, plus d'yeux ouverts dans l'ombre, d'oreilles attentives aux pas des passants, comme il l'avait imaginé, mais seulement des chaînes allongées d'ossements blanchis. Son cœur avait battu un peu plus fort : il songeait à la Vieille Rella. Ainsi, même les yeux, même la chair disparaissent ? Peut-être dans les demeures suffisamment anciennes les ossements eux-mêmes s'évanouissent-ils ? Samba Diallo ne le vérifia jamais, mais il en demeura convaincu. Cet engloutissement physique de la Vieille Rella par le néant, lorsque le garçonnet en prit conscience, eut pour effet de le rapprocher davantage de sa silencieuse amie. Ce qu'il perdait d'elle, de présence matérielle, il lui sembla qu'il le regagnait d'une autre façon, plus pleine.

Il commença à s'adresser silencieusement à elle :

« Vieille Rella, bonsoir, Vieille Rella si tu m'entends. Mais si tu ne m'entends pas, que fais-tu ? Où peux-tu être ? Ce matin même, j'ai aperçu Coumba, ta fille. Tu l'aimais bien,

Coumba. Pourquoi n'es-tu jamais revenue la voir ? Tu l'aimais bien cependant. Ou peut-être te retient-on ? Dis, Vieille Rella, te retient-on ? Azraël peut-être ? Non, Azraël ne peut rien. C'est seulement un envoyé. Ou, Vieille Rella, peut-être n'aimes-tu plus Coumba ?... Tu ne peux plus aimer... »

Samba Diallo n'avait pas peur de la Vieille Rella. Elle lui causait de l'inquiétude plutôt et mettait sa curiosité à la torture. Il savait qu'elle n'était plus chair, ni os, ni rien de matériel. Qu'était-elle devenue ? La Vieille Rella ne pouvait pas avoir cessé définitivement d'être. La Vieille Rella... Elle avait laissé des traces. Quand on a laissé la grosse Coumba, et qu'on aimait la grosse Coumba comme l'avait aimée la Vieille Rella, on ne peut pas avoir cessé d'être. Comment le souvenir de cet amour peut-il durer encore si l'amour lui-même a cessé complètement, définitivement ? Car le souvenir habite encore Coumba. De temps en temps, elle pleure : Samba Diallo l'avait vue un soir, pendant qu'elle revenait du cimetière. Pourquoi pleurerait-elle si tout était fini, définitivement ? Tout n'est pas fini... Mais pourquoi la Vieille Rella n'est-elle jamais revenue, alors ? Lui Samba Diallo, il sait qu'il aime tant son père et sa mère que, si jamais il mourait avant eux, et qu'il lui fût possible de revenir, ou de leur faire signe de quelque façon que ce fût, il se manifesterait pour leur dire ce qu'il avait vu, leur donner des nouvelles du Paradis. À moins que ?... Oui, peut-être, peut-être oublie-t-on... Mais Samba Diallo se sentit au bord des larmes, rien que de penser qu'il pût oublier complètement son père, ainsi que sa mère, et qu'il les aime tant. « Vieille Rella, Vieille Rella, oublie-t-on ? »

Il chassa cette idée et songea au Paradis. Oui. C'était cela l'explication : le Paradis. Quelle que soit la raison de leur silence, de leur absence, elle ne peut être que bénéfique, que paradisiaque. Ils n'ont pas disparu dans un néant obscur, ils ne sont ni haineux, ni oublieux. Ils sont simplement au Paradis.

Longtemps, l'enfant, près de son amie morte, songea à l'éternel mystère de la mort et, pour son compte, rebâtit le Paradis de mille manières. Lorsque vint le sommeil, il était tout à fait rasséréné, car il avait trouvé : le Paradis était bâti avec les Paroles qu'il récitait, des mêmes lumières brillantes, des mêmes ombres mystérieuses profondes, de la même féerie, de la même puissance.

Combien de temps dormit-il ainsi, près de cet absolu qui le fascinait et qu'il ne connaissait pas ?

Il fut réveillé en sursaut par un grand cri, qui le fit tressaillir violemment. Lorsqu'il ouvrit les yeux, déjà on l'entourait. Une lampe tempête, tenue à bout de bras, éclairait le mausolée qui abritait le tertre de la Vieille Rella. L'issue en était bloquée par un groupe d'hommes qui grandissait. Samba Diallo referma les yeux. Il entendit des paroles.

— Mais c'est Samba Diallo... Que peut-il bien faire ici ?

— Peut-être est-il malade ? Un enfant dans les cimetières, la nuit.

— Il faut appeler le chef.

Samba Diallo avait paisiblement rabattu sur son visage un pan des haillons dont il était revêtu. Le silence se fit autour de lui. Il sentit que quelqu'un était penché sur lui et découvrait son visage. Il ouvrit les yeux et son regard rencontra celui du chef des Diallobé.

— Voyons, mon enfant, n'aie pas peur. Qu'est-ce que tu as ? Que fais-tu ici ?

— Je n'ai plus peur. Un grand cri m'a réveillé. J'ai dû effrayer quelqu'un.

— Lève-toi. Depuis quand viens-tu ici ?

— Depuis longtemps... Je ne sais pas.

— Tu n'as pas peur ?

— Non.

— C'est bon. Lève-toi. Je vais te ramener à la maison où tu resteras désormais.

– Je veux aller au Foyer-Ardent.

– Bon. Je te ramène au Foyer-Ardent.

Lentement, les hommes qu'avait réunis un enterrement de nuit se dispersèrent, légèrement amusés par la mésaventure de Hamadi, mari de Coumba, qui, découvrant la forme de Samba Diallo allongée tout contre la tombe de sa belle-mère avait crié. Pourquoi avait-il crié ?

***

Il y eut un grondement bref, puis un grondement long. La gamme changea, le ton monta, il y eut un grondement bref puis un grondement long. Les deux gammes se mêlèrent, il y eut deux voix simultanées, l'une longue, l'autre brève.

La houle commença de connaître des ressauts. Quelque chose qui n'était point se mit à surgir le long de la vrille de chaque grondement. La houle durcit. Les vrilles se multiplièrent. Le surgissement eut un paroxysme : Samba Diallo était réveillé. Des battements de tam-tam secouaient le sol.

Samba Diallo se souvint. « C'est aujourd'hui, se dit-il, que la Grande Royale a convoqué les Diallobé. Ce tam-tam les appelle. »

Il se leva du sol de terre battue où il avait dormi, fit une brève toilette, pria et sortit en hâte de la maison du maître, pour se rendre à la place du village où se réunissaient les Diallobé. La place était déjà pleine de monde. Samba Diallo, en y arrivant, eut la surprise de voir que les femmes étaient en aussi grand nombre que les hommes. C'était bien la première fois qu'il voyait pareille chose. L'assistance formait un grand carré de plusieurs rangs d'épaisseur, les femmes occupant deux des côtés et les hommes les deux autres. L'assistance causait tout bas, et cela faisait un grand murmure, semblable à la voix du vent. Soudain, le murmure décrut. Un des côtés du carré s'ouvrit et la Grande Royale pénétra dans l'arène.

– Gens du Diallobé, dit-elle au milieu d'un grand silence, je vous salue.

Une rumeur diffuse et puissante lui répondit. Elle poursuivit.

– J'ai fait une chose qui ne nous plaît pas, et qui n'est pas dans nos coutumes. J'ai demandé aux femmes de venir aujourd'hui à cette rencontre. Nous autres Diallobé, nous détestons cela, et à juste titre, car nous pensons que la femme doit rester au foyer. Mais de plus en plus, nous aurons à faire des choses que nous détestons, et qui ne sont pas dans nos coutumes. C'est pour vous exhorter à faire une de ces choses que j'ai demandé de vous rencontrer aujourd'hui.

« Je viens vous dire ceci : moi, Grande Royale, je n'aime pas l'école étrangère. Je la déteste. Mon avis est qu'il faut y envoyer nos enfants cependant. »

Il y eut un murmure. La Grande Royale attendit qu'il eût expiré, et calmement poursuivit.

– Je dois vous dire ceci : ni mon frère, votre chef, ni le maître des Diallobé n'ont encore pris parti. Ils cherchent la vérité. Ils ont raison. Quant à moi, je suis comme ton bébé, Coumba (elle désignait l'enfant à l'attention générale). Regardez-le. Il apprend à marcher. Il ne sait pas où il va. Il sent seulement qu'il faut qu'il lève un pied et le mette devant, puis qu'il lève l'autre et le mette devant le premier.

La Grande Royale se tourna vers un autre point de l'assistance.

– Hier, Ardo Diallobé, vous me disiez : « La parole se suspend, mais la vie, elle, ne se suspend pas. » C'est très vrai. Voyez le bébé de Coumba.

L'assistance demeurait immobile, comme pétrifiée. La Grande Royale seule bougeait. Elle était, au centre de l'assistance, comme la graine dans la gousse.

– L'école où je pousse nos enfants tuera en eux ce qu'aujourd'hui nous aimons et conservons avec soin, à juste titre. Peut-être notre souvenir lui-même mourra-t-il en eux. Quand ils nous reviendront de l'école, il en est qui ne nous reconnaîtront pas. Ce que je propose c'est que nous acceptions de mourir en nos enfants et que les étrangers qui nous ont défaits prennent en eux toute la place que nous aurons laissée libre.

Elle se tut encore, bien qu'aucun murmure ne l'eût interrompue. Samba Diallo perçut qu'on reniflait près de lui. Il leva la tête et vit deux grosses larmes couler le long du rude visage du maître des forgerons.

– Mais, gens des Diallobé, souvenez-vous de nos champs quand approche la saison des pluies. Nous aimons bien nos champs, mais que faisons-nous alors ? Nous y mettons le fer et le feu, nous les tuons. De même, souvenez-vous : que faisons-nous de nos réserves de graines quand il a plu ? Nous voudrions bien les manger, mais nous les enfouissons en terre.

« La tornade qui annonce le grand hivernage de notre peuple est arrivée avec les étrangers, gens des Diallobé. Mon avis à moi, Grande Royale, c'est que nos meilleures graines et nos champs les plus chers, ce sont nos enfants. Quelqu'un veut-il parler ?

Nul ne répondit.

– Alors, la paix soit avec vous, gens des Diallobé, conclut la Grande Royale.

PARCOURS 1

CHAPITRE I

COMPRENDRE

1. Expliquez les expressions suivantes :
a. *L'école apprend aux hommes seulement à lier le bois au bois... pour faire des édifices de bois...* (p. 17)
b. *Il est certain que rien n'est aussi bruyamment envahissant que les besoins auxquels l'école permet de satisfaire.* (p. 18)
c. *J'ai appris qu'au pays des Blancs, la révolte contre la misère ne se distingue pas de la révolte contre Dieu.* (p. 18)
2. Expliquez : *oblitère (p. 14)* ; *psalmodiant* (p. 15) ; *zélateurs* (p. 18).

ANALYSER

1. Quels indices grammaticaux et lexicaux permettent de situer l'action dans le temps et dans l'espace ?
2. *Deux ans auparavant, le garçonnet revenait avec son père...* (p. 16). Le narrateur propose une analepse (un retour en arrière). Où et quand l'action se situe-t-elle alors ? Vous montrerez comment les indicateurs de temps ou de lieu organisent le chapitre.
3. Cette seconde scène achève-t-elle le chapitre ? Quels mots le prouvent ? Comment nomme-t-on cette projection dans le temps opérée par le narrateur ?
4. En quoi le dernier paragraphe du premier chapitre constitue-t-il une transition permettant d'introduire le chapitre II ?

ÉTUDIER LES PERSONNAGES

1. Cinq personnages interviennent dans ce premier chapitre. Nommez-les et précisez quelle fonction ils occupent dans la société des Diallobé. Quelles relations entretiennent-ils entre eux ?

2. Dressez le portrait physique et moral de chacun ou de certains de ces personnages à partir des indices lexicaux fournis par le texte. Lesquels ?
3. Quel portrait paraît le plus développé ? Quelle phrase du texte vous semble la plus apte à caractériser ce personnage ? Justifiez.

POUR ALLER PLUS LOIN

Qu'apprend-on sur le fonctionnement de l'école coranique à l'issue de la lecture de ce premier chapitre ? (durée de l'apprentissage, contenu et objectif de l'enseignement, méthodes éducatives employées).

ÉCRIRE

L'incipit d'un roman désigne ses premiers paragraphes ou sa première page. Il expose la situation et présente le point de vue du narrateur. À partir de la première page de *L'Aventure ambiguë*, imaginez une alternative au premier chapitre centrée sur les relations entre le maître et son élève.

RECHERCHER

Où se situe le pays des Diallobé ? Quel autre nom porte ce peuple ? Réunissez des documents relatifs à son histoire.

CHAPITRE II

COMPRENDRE

1. Expliquez les expressions suivantes :
a. *Samba Diallo improvisait des litanies édifiantes* (p. 21)
b. *en inspirant aux honnêtes gens une peur aussi salutaire d'Azraël* (p. 22)
c. *Quelle magnanimité, mes amis ! s'écria Demba, goguenard, en s'adressant aux autres disciples.* (p. 23)
d. *Le silence s'était fait parmi les disciples médusés.* (p. 27)
2. Pourquoi les camarades de Samba Diallo considèrent-ils son humilité comme de l'orgueil alors qu'il porte les mêmes pauvres haillons qu'eux et « qu'il revendiquait d'être aligné au niveau de tous ses condisciples » ? (p. 24)

ANALYSER

1. Vous montrerez comment les indicateurs spatio-temporels et les changements de point de vue organisent le récit. Donnez un titre à chaque partie repérée.
2. Qui dialogue avec qui ? Montrez-le.
3. Parmi ces dialogues, lequel vous semble devoir annoncer la suite prévisible du roman ? Pourquoi ? Développez.

ÉTUDIER LES PERSONNAGES

1. Samba Diallo, le maître, Demba, les autres disciples, la Grande Royale, sont les personnages qui interviennent dans ce chapitre. Plusieurs d'entre eux sont pris dans des contradictions, montrez-le.
2. Le narrateur fait longuement parler le maître qui raconte, au discours direct, l'agonie et la mort édifiante du père de la Grande Royale. Quelle fonction occupe cette narration ?
3. Comment le narrateur s'y prend-il (caractérisation directe et/ou indirecte) pour mettre en valeur la noblesse de Samba Diallo et de la Grande Royale ? Montrez-le.

POUR ALLER PLUS LOIN

À la fin du chapitre II, page 32, le narrateur fait dialoguer ainsi la Grande Royale et le maître du Foyer-Ardent :

« Je pressens qu'ils [nos fils] auront affaire à un monde de vivants où les valeurs de mort seront bafouées et faillies.

– Non madame. Ce sont des valeurs ultimes qui se tiendront encore au chevet du dernier humain. »

Le maître défend ensuite les vertus bienfaisantes du châtiment corporel :

« Après cette blessure profonde, pratiquée d'une main paternelle, je vous promets que plus jamais cet enfant ne se blessera. Vous verrez de quelle stature, lui aussi, dominera la vie et la mort. »

Quels autres personnages vous semblent partager ce point de vue ? Et vous, le partagez-vous ? Quels sont vos arguments ?

ÉCRIRE

Quelle place occupe la mort dans nos sociétés contemporaines ? Cette place est-elle identique en zone urbaine et en zone rurale ?
Que pensez-vous de ces évolutions ?

RECHERCHER

Quelles significations donnez-vous aux étapes rituelles successives décrites dans le passage sur la mort du père de la Grande Royale ?
Recherchez quelques exemples de rites funéraires à travers le monde et expliquez-en la portée symbolique.

CHAPITRE III

COMPRENDRE

1. Expliquez : *palmipèdes anatidés* (p. 33) ; *Le maître à la vérité revenait de loin* (p. 34) ; *Les Diallobé voulaient plus de poids* (p. 35) ; *autant d'hypostases du poids* (p. 36) ; *Maître, où en sont les courges des Diallobé ?* (p. 36) ; *Nos voies sont parallèles et toutes deux inflexibles.* (p. 37) ; *L'école étrangère est la forme nouvelle de la guerre que nous font ceux qui sont venus* (p. 39).
2. Montrez que le contexte d'emploi de ces expressions permet d'éclairer leur sens.

ANALYSER

1. Les deux premières pages du chapitre présentent le point de vue du maître vieillissant du Foyer-Ardent avant d'introduire un dialogue entre le maître de l'école coranique et le chef des Diallobé (p. 33) auquel s'adjoindra sa sœur, la Grande Royale (p. 37). Que nous apprend ce chapitre sur les questions que se posent les protagonistes quant aux perspectives d'avenir du peuple des Diallobé ?
2. Pourquoi le maître interdit-il au chef des Diallobé de se rendre chez lui ? En quoi cela nous informe-t-il sur l'organisation sociale de ce peuple ? Expliquez.
3. Le récit puis le dialogue contiennent-ils des traces d'une progression imminente de l'action ? Citez les extraits concernés.

ÉTUDIER LES PERSONNAGES

1. Les fonctions qu'occupent ces différents personnages (le maître du Foyer-Ardent, le chef des Diallobé, la Grande Royale) sont-elles en opposition ou complémentaires ? Montrez-le.
2. Citez un passage du chapitre montrant que le maître est conscient du fait que la transformation du pays des Diallobé est inéluctable. S'en réjouit-il, le déplore-t-il, s'y résigne-t-il ? Citez des extraits du texte à l'appui de votre réponse.

3. Montrez la gradation de l'affaiblissement physique du maître. Quelle en est la portée symbolique ?
4. À l'avis de qui se rangent finalement les Diallobé ?

POUR ALLER PLUS LOIN

Pour expliquer au chef des Diallobé que sa fonction de maître spirituel diffère de celle de chef séculier, Thierno, le maître du Foyer-Ardent, lui présente une sorte d'apologue, celui des courges et du jardinier, et conclut ainsi :
« – Maître, où en sont les courges du Diallobé ?
– C'est au jardinier de répondre, pas à moi. »
Analyser précisément cet apologue et dîtes quelle vision de l'organisation sociale il sous-tend.
Qu'en pensez-vous ?

ÉCRIRE

L'école étrangère est la nouvelle forme de la guerre que nous font ceux qui sont venus. (p. 39) Que signifie cette phrase de la Grande Royale ?
Discutez des formes contemporaines de domination politique, économique et culturelle.

RECHERCHER

1. Recherchez des documents sur l'organisation sociale traditionnelle des Toucouleurs. Intéressez-vous notamment à l'articulation entre le pouvoir séculier et le pouvoir spirituel.
2. Trouvez différents exemples à travers le monde contemporain d'organisation entre le politique et le religieux. Définissez les concepts de théocratie et de laïcité. Discutez-en.

CHAPITRE IV

COMPRENDRE

1. *Cet engloutissement physique de la Vielle Rella par le néant (…) eut pour effet de le rapprocher davantage de sa vieille amie. Ce qu'il perdait d'elle, de présence matérielle, il lui sembla qu'il le regagnait d'une autre façon, plus pleine* (p. 41). Comment comprenez vous ce passage ?

2. Que nous apprend ce chapitre sur la conception de la mort qu'a Samba Diallo ? Peut-on y lire la marque de sa foi profonde en Dieu ?

3. *La houle commença de connaître des ressauts.* (p. 44). De quoi s'agit-il ? Les mots *houle* et *ressauts* sont-ils employés dans leur sens dénoté ou métaphoriquement ? Relevez d'autres formulations identiques.

4. *Le surgissement eut un paroxysme : Samba Diallo était réveillé.* (p. 44). Quel rapport logique est exprimé par la ponctuation qui relie ces deux phrases ?

ANALYSER

1. Précisez le cadre du discours de la Grande Royale, son lieu, sa temporalité, les personnages en présence et leur disposition dans l'espace.

2. En quelques mots définissez les enjeux de l'argumentation de la Grande Royale.

3. La rhétorique classique distingue quatre parties dans le discours : l'exorde dans lequel il s'agit de capter la bienveillance de l'auditeur (toucher son âme), la narration qui expose les faits avec clarté et vraisemblance (rallier son esprit), la confirmation et la réfutation qui proposent l'énoncé des arguments et des preuves, la péroraison qui réveille les passions de l'auditoire. Retrouvez ces parties dans le discours de la Grande Royale.

4. Quels connecteurs logiques pouvez-vous saisir entre ces parties du discours ?

5. Repérez les caractéristiques du registre pathétique dans le discours.

ÉTUDIER LES PERSONNAGES

1. Six patronymes sont cités dans ce chapitre. Lesquels? Quelles fonctions occupent ces personnages? Ont-ils tous la même importance dans l'économie générale du roman? Si non, pourquoi sont-ils cités?
2. Opposez les discours de Samba Diallo à la Vieille Rella et celui de la Grande Royale aux Diallobé.
3. La Grande Royale, sœur aînée du chef des Diallobé, semble disposer de prérogatives particulières. Montrez-le. Pourquoi?

POUR ALLER PLUS LOIN

Certains événements historiques bouleversent les structures traditionnelles d'une société. Cherchez dans un passé récent des exemples de telles mutations et discutez si elles constituent des progrès ou des régressions.

ÉCRIRE

En vous inspirant des principes de la rhétorique classique, imaginez un discours sur l'importance de la diversité et du dialogue des cultures dans le monde.

RECHERCHER

Faites des recherches sur la condition de la femme dans les sociétés traditionnelles d'Afrique de l'Ouest. Intéressez-vous aux aspects politiques, religieux, économiques, familiaux…

Reproduisez et complétez le tableau ci-dessous. Proposez une analyse de la progression de cette partie du roman en faisant des rapprochements éclairants entre les chapitres.

CHAPITRE	I	II	III	IV
TITRE / CONTENU	École coranique et école laïque occidentale : la confrontation de deux systèmes éducatifs différents.			
TEMPS / LIEUX	Époque coloniale imprécisée. Au pays Diallobé : l'école coranique ; le bateau sur le fleuve.			
PERSONNAGES	Thierno, le maître de l'école coranique ; Samba Diallo, personnage principal ; son père, le chevalier; son cousin, le chef coutumier ; le directeur de l'école régionale.			
ACTIONS	• À l'école coranique, Samba Diallo est sévèrement battu par le maître pour qu'il retienne la parole du Coran. • De retour d'un voyage à travers le pays des Diallobé, deux ans plus tôt, il fut décidé que Samba fréquenterait d'abord l'école coranique.			
DISCOURS DOMINANT	Essentiellement narratif et dialogal.			

Le pays des Diallobé n'était pas le seul qu'une grande clameur eût réveillé un matin. Tout le continent noir avait eu son matin de clameur.

Étrange aube ! Le matin de l'Occident en Afrique noire fut constellé de sourires, de coups de canon et de verroteries brillantes. Ceux qui n'avaient point d'histoire rencontraient ceux qui portaient le monde sur leurs épaules. Ce fut un matin de gésine. Le monde connu s'enrichissait d'une naissance qui se fit dans la boue et dans le sang.

De saisissement, les uns ne combattirent pas. Ils étaient sans passé, donc sans souvenir. Ceux qui débarquaient étaient blancs et frénétiques. On n'avait rien connu de semblable. Le fait s'accomplit avant même qu'on prît conscience de ce qui arrivait.

Certains, comme les Diallobé, brandirent leurs boucliers, pointèrent leurs lances ou ajustèrent leurs fusils. On les laissa approcher, puis on fit tonner le canon. Les vaincus ne comprirent pas.

D'autres voulurent palabrer. On leur proposa, au choix, l'amitié ou la guerre. Très sensément, ils choisirent l'amitié : ils n'avaient point d'expérience.

Le résultat fut le même cependant, partout.

Ceux qui avaient combattu et ceux qui s'étaient rendus, ceux qui avaient composé et ceux qui s'étaient obstinés se retrouvèrent le jour venu, recensés, répartis, classés, étiquetés, conscrits, administrés.

Car, ceux qui étaient venus ne savaient pas seulement combattre. Ils étaient étranges. S'ils savaient tuer avec efficacité, ils savaient aussi guérir avec le même art. Où ils avaient mis du désordre, ils suscitaient un ordre nouveau. Ils détruisaient et construisaient. On commença, dans le continent noir, à comprendre que leur puissance véritable résidait, non point dans les canons du premier matin, mais dans ce qui suivait ces canons. Ainsi, derrière les canonnières, le clair regard de la Grande Royale des Diallobé avait vu l'école nouvelle.

L'école nouvelle participait de la nature du canon et de l'aimant à la fois. Du canon, elle tient son efficacité d'arme combattante. Mieux que le canon, elle pérennise la conquête. Le canon contraint les corps, l'école fascine les âmes. Où le canon a fait un trou de cendre et de mort et, avant que, moisissure tenace, l'homme parmi les ruines n'ait rejailli, l'école nouvelle installe sa paix. Le matin de la résurrection sera un matin de bénédiction par la vertu apaisante de l'école.

De l'aimant, l'école tient son rayonnement. Elle est solidaire d'un ordre nouveau, comme un noyau magnétique est solidaire d'un champ. Le bouleversement de la vie des hommes à l'intérieur de cet ordre nouveau est semblable aux bouleversements de certaines lois physiques à l'intérieur d'un champ magnétique. On voit les hommes se disposer, conquis, le long de lignes de forces invisibles et impérieuses. Le désordre s'organise, la sédition s'apaise, les matins de ressentiment résonnent des chants d'une universelle action de grâce.

Seul un tel bouleversement de l'ordre naturel peut expliquer que, sans qu'ils le veuillent l'un et l'autre, l'homme nouveau et l'école nouvelle se rencontrent tout de même. Car ils ne veulent pas l'un de l'autre. L'homme ne veut pas de l'école parce qu'elle lui impose, – pour vivre c'est-à-dire pour être libre, pour se nourrir, pour s'habiller – de passer désormais par ses bancs ; l'école ne veut pas davantage de l'homme parce qu'il lui impose pour survivre – c'est-à-dire pour s'étendre et prendre racine où sa nécessité l'a débarquée – de compter avec lui.

***

Lorsque la famille Lacroix arriva dans la petite ville noire de L., elle y trouva une école. C'est sur les bancs d'une salle de classe de cette école remplie de négrillons que Jean Lacroix fit la connaissance de Samba Diallo.

Le matin de leur quinzième jour à L., M. Lacroix avait mené ses deux enfants, Jean et Georgette, à l'école de la petite ville. À Pau, les deux enfants n'avaient guère été qu'à l'école maternelle. La classe de M. N'Diaye correspondait largement à ce qu'il leur fallait.

L'histoire de la vie de Samba Diallo est une histoire sérieuse. Si elle avait été une histoire gaie, on vous eût raconté quel fut l'ahurissement des deux enfants, en ce premier matin de leur séjour parmi les négrillons, de se retrouver devant tant de visages noirs ; quelles furent les péripéties du vaste mouvement d'approche que Jean et sa sœur sentaient qui se resserrait petit à petit autour d'eux, comme un ballet fantastique et patient. On vous eût dit quelle fut leur surprise puérile de constater, au bout de quelque temps combien, sous leurs têtes crépues et leurs peaux sombres, leurs nouveaux camarades ressemblaient aux autres, à ceux qu'ils avaient laissés à Pau.

Mais il ne sera rien dit de tout cela, parce que ces souvenirs en ressusciteraient d'autres, tout aussi joyeux, et égaieraient ce récit dont la vérité profonde est toute de tristesse.

Bien longtemps après, y songeant, Jean Lacroix croyait se souvenir que cette tristesse, il l'avait perçue dès les premiers moments de ses contacts avec Samba Diallo, quoique de façon diffuse et imprécise.

Ce fut dans la classe de M. N'Diaye qu'il la ressentit d'abord. Il avait eu, dans cette classe, comme l'impression d'un point où tous les bruits étaient absorbés, où tous les frémissements se perdaient. On eût dit qu'existait quelque part une solution de continuité à l'atmosphère ambiante. Ainsi, lorsqu'il arrivait à la classe entière de rire ou de s'esclaffer, son oreille percevait comme un trou de silence non loin de lui. Lorsque, à l'approche des heures de sortie, un frémissement parcourait tous les bancs, que des ardoises étaient agitées puis serrées subrepticement, que des objets tombaient qui étaient ramassés, la personne entière de Jean sentait au cœur de cette animation comme une brèche de paix.

En réalité, bien qu'il l'eût perçue dès le début, il n'eut une claire conscience de cette fausse note universelle qu'après une dizaine de jours passés dans la classe de M. N'Diaye. À partir de ce moment, tous ses sens se tinrent en éveil.

Un matin, M. N'Diaye interrogeait la classe. Il avait pris prétexte justement de la présence de Jean et de Georgette pour interroger sur la géographie et l'histoire de France. Le dialogue entre le maître et la classe était soutenu et rapide. Subitement, le silence, un silence gêné pesa sur la classe.

– Voyons mes enfants, insistait M. N'Diaye, Pau se trouve dans un département dont il est le chef-lieu. Quel est ce département ? Que vous rappelle Pau ?

Jean, à qui cette question ne s'adressait pas, perçut très nettement alors que quelqu'un non loin de lui, n'était pas gêné par ce silence, quelqu'un se jouait de ce silence et le prolongeait comme à plaisir, quelqu'un qui pouvait le rompre, qui allait le rompre. Lentement, il tourna la tête et, pour la première fois, observa son voisin de droite, celui qui, avec Georgette et lui, occupait la première table de la rangée centrale. Ce fut comme une révélation. Le trou de silence, la brèche de paix, c'était lui ! Lui qui, en ce moment même attirait tous les regards par une espèce de rayonnement contenu, lui que Jean n'avait pas remarqué mais dont la présence dans cette classe l'avait troublé dès les premiers jours.

Jean l'observa de profil, il était tout à son aise pour le faire, car l'autre avait levé la tête et toute son attention était fixée sur M. N'Diaye. La classe le regardait et il regardait le maître. Il paraissait tendu. Son visage, dont Jean remarqua la régularité, son visage rayonnait. Jean eut l'impression que s'il se penchait et regardait son camarade en face, il lirait sur son visage, tant son rayonnement était vif, la réponse qu'attendait M. N'Diaye. Mais lui, à part cette tension et ce rayonnement, ne bougeait pas. Jean devait constater par la suite qu'il ne levait jamais la main – l'habitude était cependant, lorsqu'on voulait répondre, de la lever, de claquer les doigts. Son voisin demeurait immobile et tendu, comme angoissé. M. N'Diaye se tourna vers lui. Jean perçut comme une relaxation musculaire chez l'autre. Il sourit et eut l'air confus ; puis il se leva.

– Le département dont le chef-lieu est Pau est celui des Basses-Pyrénées. Pau est la ville où naquit Henri IV.

Sa voix était nette et son langage correct. Il parlait à M. N'Diaye, mais Jean eut l'impression qu'il s'adressait à la classe, que c'est à elle qu'il expliquait.

Quand il eut fini de parler, il se rassit sur un signe de M. N'Diaye. Jean le fixait toujours. Il remarqua que l'autre en fut gêné et s'absorba dans la contemplation de son ardoise.

La classe, un moment suspendue, était repartie. Alors seulement Jean se souvint que ce n'était pas par hasard qu'il était près de Samba Diallo. Il se rappela que, le premier jour de leur arrivée, il avait voulu entraîner Georgette vers une table où il avait remarqué deux places inoccupées. M. N'Diaye était intervenu et les avait fait asseoir à la première table, près de Samba Diallo.

Lorsque midi sonna, que M. N'Diaye eut libéré ses élèves et que Georgette et Jean furent sortis, il fut impossible à ce dernier de retrouver Samba Diallo. Jean se dressait sur la pointe des pieds, regardant de tous côtés, lorsqu'on lui toucha l'épaule. Il se retourna : c'était Ammar Lô, le premier garçon avec lequel il se fut lié dans cette classe.

– Qui cherches-tu, le Diallobé ?

– Qu'est-ce que c'est...

– Mais ton voisin, Samba Diallo.

Jean fut surpris et un peu fâché qu'Ammar Lô l'eût deviné. Il ne répondit pas.

– N'attends plus Samba Diallo, il est parti. Lui-même tourna le dos et s'en fut.

M. Lacroix était venu chercher ses enfants en voiture.

Quand Jean revint en classe l'après-midi, Samba Diallo était absent. Il en eut quelque dépit.

Le lendemain était jeudi. Jean ne sortit pas de la matinée. L'après-midi, il se rendit à la Résidence du Cercle, au bureau de son père.

Il frappa à la porte et entra. Deux personnes étaient dans la pièce où il pénétra, occupant deux bureaux séparés. L'une de ces personnes était son père. Il se dirigea vers lui, tout en regardant son voisin, qui était un noir.

L'homme était grand, on le remarquait tout de suite quoiqu'il fût assis. Les boubous qu'il portait étaient blancs et amples. On sentait sous ses vêtements une stature puissante mais sans empâtement. Les mains étaient grandes et fines tout à la fois. La tête, qu'on eût dit découpée dans du grès noir et brillant, achevait, par son port, de lui donner une posture hiératique. Pourquoi, en le regardant, Jean songea-t-il à certaine gravure de ses manuels d'histoire représentant un chevalier du Moyen Âge revêtu de sa dalmatique[1] ? L'homme, sur le visage de qui s'esquissait un sourire, tournait lentement la tête pour le suivre du regard. Jean l'observait tant, de son côté, qu'il faillit buter sur une chaise.

– Eh bien, Jean ? dis bonjour à monsieur. Jean fit quelques pas vers lui qui sourit derechef et tendit la main d'un geste qu'amplifia son grand boubou.

– Alors jeune homme, comment allez-vous ?

Sa main enveloppa celle de Jean d'une étreinte vigoureuse et sans brutalité. L'homme regardait l'enfant, et son visage, son beau visage d'ombre serti de clarté, lui souriait. Jean eut l'impression que l'homme le connaissait depuis toujours et que, pendant qu'il lui souriait, rien d'autre n'existait, n'avait d'importance.

– C'est mon fils, Jean. Il n'est pas bête, mais il est très souvent en voyage dans la lune...

Cette déplorable habitude qu'avait son père de toujours divulguer les secrets de famille ! Jean l'eût encore tolérée en toutes circonstances, mais ici, devant cet homme...

---

[1] Tunique d'apparat des dignitaires romains.

– Chut, ne faites pas rougir ce grand jeune homme. Je suis sûr que ses voyages dans la lune sont passionnants, n'est-ce pas ?

La confusion de Jean n'eût pas connu de bornes si, à ce moment précis, l'attention n'avait été détournée de lui par deux coups faibles mais nets, frappés à la porte. Samba Diallo parut. De la confusion, Jean passa à la surprise. Samba Diallo, revêtu d'un long caftan blanc, chaussé de sandalettes blanches, pénétra dans la salle d'un pas souple et silencieux, se dirigea d'abord vers M. Lacroix qui lui tendit la main en souriant. Ensuite, il marcha sur Jean, la main ouverte :

– Bonjour, Jean.
– Bonjour, Samba Diallo.

Leurs mains s'étaient rencontrées. Puis Samba Diallo tourna le dos et salua le chevalier à la dalmatique. Ni l'un ni l'autre ne souriaient plus ; simplement, ils se regardèrent dans les yeux, l'espace de quelques secondes, ensuite, d'un même mouvement, ils se retournèrent, leurs visages de nouveau illuminés.

– Je vois que ces jeunes gens se connaissent déjà, dit M. Lacroix.

– Samba Diallo est mon fils, ajouta le chevalier. Où donc vous êtes-vous rencontrés... si ce n'est pas indiscret ?

Son ton était ironique en prononçant ces derniers mots.

– Nous occupons la même table, dans la classe de M. N'Diaye, répondit Samba Diallo, sans quitter Jean du regard. Seulement, nous n'avions guère eu l'occasion de nous parler... n'est-ce pas ?

L'aisance de Samba Diallo depuis qu'il était entré ne laissait plus aucun doute à Jean : Samba Diallo avait déjà rencontré M. Lacroix. Mais il n'en avait rien laissé voir à l'école.

Jean confirma, en rougissant, qu'ils ne s'étaient jamais parlé en effet.

Samba Diallo se mit à entretenir son père à demi-voix. Jean en profita pour aller à M. Lacroix.

Les deux garçons sortirent du bureau en même temps. Ils s'engagèrent sans parler dans l'allée de marne blanche bordée de fleurs rouges qui menait au portail de la résidence. Samba Diallo coupa une fleur et se mit à la contempler. Il la tendit ensuite à Jean.

– Regarde, Jean, comme cette fleur est belle. Elle sent bon.

Il se tut un instant puis ajouta, de façon inattendue.

– Mais elle va mourir...

Son regard avait brillé, les ailes de son nez avaient légèrement frémi quand il avait dit que la fleur était belle. Il avait eu l'air triste, l'instant d'après.

– Elle va mourir parce que tu l'as coupée, risqua Jean.

– Oui, sinon, voilà ce qu'elle serait devenue.

Il ramassa et montra une espèce de gousse sèche et épineuse.

Puis, prenant son élan, il tourna sur lui-même, lança bien loin la gousse et se retourna en souriant:

– Tu ne veux pas venir te promener avec moi?

– Je veux bien, répondit Jean.

Ils sortirent de la résidence et prirent une de ces longues rues de marne blanche qui sillonnent le sable rouge de la petite ville de L. Ils marchèrent longtemps sans parler. Ils abandonnèrent la marne blanche pour le sable rouge. Une vaste étendue de ce sable s'offrait précisément à eux, qu'entouraient des euphorbes laiteuses. Au milieu de la place, Samba Diallo s'arrêta, s'assit, puis s'étendit sur le dos, le visage au ciel et les mains sous la nuque. Jean s'assit.

Le soleil se couchait dans un ciel immense. Ses rayons obliques, qui sont d'or, à cette heure du jour, ses rayons s'étaient empourprés d'avoir traversé les nuages qui incendiaient l'Occident. Le sable rouge, éclairé de biais, semblait de l'or en ébullition.

Le visage de basalte de Samba Diallo avait des reflets pourpres. De basalte? C'était un visage de basalte, parce que aussi il était comme pétrifié.

Aucun muscle n'en bougeait plus. Le ciel, dans ses yeux, était rouge. Depuis qu'il s'était étendu, Samba Diallo était-il rivé à la terre ? Avait-il cessé de vivre ? Jean eut peur.

— Dis-moi, Samba Diallo, qu'est-ce qu'un Diallobé ?

Il avait parlé pour dire quelque chose. Le charme se rompit. Samba Diallo éclata de rire.

— Ah, tiens, on t'a parlé de moi... Un Diallobé... Eh, bien, ma famille, les Diallobé, fait partie du peuple des Diallobé. Nous venons des bords d'un grand fleuve. Notre pays s'appelle aussi le Diallobé. Je suis le seul originaire de ce pays, dans la classe de M. N'Diaye. On en profite pour me plaisanter...

— Si tu es Diallobé, pourquoi n'es-tu pas resté dans le pays des Diallobé ?

— Et toi, pourquoi as-tu quitté Pau ?

Jean fut embarrassé. Mais Samba Diallo reprit :

— C'est chez moi ici, toujours chez moi. Bien sûr, j'aurais préféré rester au pays, mais mon père travaille ici.

— Il est grand, ton père. Il est plus grand que le mien.

— Oui, il est très grand...

Pendant qu'ils parlaient, le crépuscule était venu. L'or des rayons s'était délayé un peu et de pourpre était devenu rose. Sur leur frange inférieure, les nuages s'étaient glacés de bleu. Le soleil avait disparu, mais déjà à l'Est la lune s'était levée. Elle aussi éclairait. On voyait bien comment la clarté ambiante était faite du rose pâlissant du soleil, du blanc laiteux de la lune et aussi, de la paisible pénombre d'une nuit qu'on sentait imminente.

— Excuse-moi, Jean. Voici le crépuscule et il faut que je prie.

Samba Diallo se leva, se tourna vers l'Est, leva les bras, mains ouvertes, et les laissa tomber, lentement. Sa voix retentit. Jean n'osa pas contourner son camarade pour observer son visage, mais il lui sembla que cette voix n'était plus la sienne. Il restait immobile. Rien ne vivait en lui, que cette voix qui parlait au crépuscule une langue que Jean ne comprenait pas. Puis son long caftan blanc que le soir teintait de violet fut parcouru d'un frisson. Le frisson s'accentua en même temps que la voix montait. Le frisson devint un frémissement qui secoua le corps tout entier et la voix, un sanglot. À l'Est, le ciel était un immense cristal couleur de lilas.

Jean ne sut pas combien de temps il demeura là, fasciné par Samba Diallo pleurant sous le ciel. Il ne sut jamais comment s'acheva cette mort pathétique et belle du jour. Il ne reprit conscience qu'en entendant un bruit de pas, non loin de lui. Il leva la tête et vit le chevalier à la dalmatique, qui s'avança en souriant, lui tendit la main pour l'aider à se lever. Samba Diallo était accroupi, la tête baissée, son corps encore frissonnant. Le chevalier s'agenouilla, le prit par les épaules, le mit sur les jambes et lui sourit. À travers ses larmes, Samba Diallo sourit aussi, d'un clair sourire. Avec le pan de son boubou, le chevalier lui essuya le visage, très tendrement.

Ils reconduisirent Jean en silence jusqu'à la rue marneuse, puis rebroussèrent chemin pour rentrer. Sous la clarté de la lune, la rue était d'une blancheur liliale. Jean avait regardé s'éloigner les deux silhouettes se tenant par la main, puis lentement, était rentré.

Cette nuit-là, en songeant à Samba Diallo, il fut saisi de peur. Mais cela se passa bien tard, après que tout le monde fut couché et que Jean se fut retrouvé seul dans son lit. La violence et l'éclat du crépuscule n'étaient pas la cause des larmes de Samba Diallo. Pourquoi avait-il pleuré ?

Longtemps, Jean fut obsédé par les deux visages du père et du fils. Ils l'obsédèrent, jusqu'au moment où il sombra dans le sommeil.

Samba Diallo demeura silencieux tout le long du chemin. Le chevalier aussi. Ils marchèrent lentement, l'un tenant l'autre par la main. L'agitation de Samba Diallo s'était calmée.

– As-tu des nouvelles du maître des Diallobé ? demanda-t-il.

– Le maître des Diallobé est en bonne santé. Il te dit de ne pas te faire d'inquiétude à son sujet. Il pense à toi. Tu ne dois plus pleurer... Tu es un homme maintenant.

– Non, ce n'est pas ça...

Ce n'était pas la tristesse qui l'avait fait pleurer, ce soir-là. Il savait maintenant que le maître des Diallobé ne le quitterait plus, et jusqu'après sa mort. Même la Vieille Rella, que rien ne liait cependant à Coumba qu'un souvenir – un gros amour – continuait d'agiter Coumba. Ce qui restera du maître, lorsque son corps si fragile aura disparu, ce sera plus qu'un amour et qu'un souvenir. Du reste, le maître vivait encore et cependant Samba Diallo ne connaissait plus son apparence – cette apparence si dérisoire – que de façon estompée, par le souvenir. Le maître néanmoins continuait de le tenir éveillé et d'être présent à son attention aussi efficacement que s'il eût été là, tenant la bûche ardente. Quand le maître mourra, ce qui restera de lui sera plus exigeant que le souvenir. La Vieille Rella, quand elle vivait, n'avait que son amour. Quand elle mourut, son corps disparut complètement et son amour laissa un souvenir. Le maître, lui, a un corps fragile qui déjà est très peu présent. Mais, de plus, il a la Parole qui n'est faite de rien, mais qui dure... qui dure. Il a le feu qui embrase les disciples et éclaire le foyer. Il a cette inquiétude plus forte que n'est lourd son corps. La disparition de ce corps peut-elle rien à tout cela ?

L'amour mort laisse un souvenir, et l'ardeur morte ? Et l'inquiétude ? Le maître, qui était plus riche que la Vieille Rella, mourrait moins complètement qu'elle, Samba Diallo le savait.

Ce soir, en ce crépuscule si beau, pendant qu'il priait, il s'était senti envahi d'exaltation soudain comme jadis, près du maître.

Il revécut par la pensée les circonstances de son départ du foyer.

Quelque temps après que le chef des Diallobé eut trouvé Samba Diallo paisiblement couché près de la Vieille Rella au cimetière, un long conciliabule avait réuni le chef, le maître et la Grande Royale. L'enfant ne sut jamais ce qu'ils dirent. Le chef l'avait fait venir ensuite et lui avait annoncé qu'il allait retourner à L., près de son père. Sur le moment, la joie de Samba Diallo avait été très vive. Il s'était mis tout d'un coup à penser à L., à ses parents, avec une intensité inusitée.

– Mais avant de partir, tu iras prendre congé du maître, avait ajouté le chef.

À ce nom, Samba Diallo avait senti sa gorge se nouer. Le maître... En effet, il allait quitter le maître. Son départ pour L. signifiait aussi cela. Il ne verrait plus le maître. La voix du maître récitant la Parole. L'air du maître écoutant la Parole. Loin du maître, il y avait bien son père et sa mère, il y avait bien la douceur de la maison à L. Mais près du maître, Samba Diallo avait connu autre chose, qu'il avait appris à aimer. Lorsqu'il essayait de se représenter ce qui le retenait ainsi attaché au maître, en dépit de ses bûches ardentes et de ses sévices, Samba Diallo ne voyait rien, sinon peut-être que les raisons de cet attrait n'étaient pas du même ordre que celles qui lui faisaient aimer son père et sa mère, et sa maison de L. Ces raisons s'apparentaient plutôt à la fascination qu'exerçait sur lui le mystère de la Vieille Rella. Elles devaient être du même ordre aussi que celles qui lui faisaient haïr qu'on lui rappelle la noblesse de sa famille. Quelles qu'elles fussent en tout cas, ces raisons étaient impérieuses.

– Eh bien ! Eh bien ! tu pleures ? Voyons, à ton âge ! Tu n'es pas content de retourner à L. ? Viens ici, approche.

Le chef des Diallobé l'avait attiré sur ses genoux. Du pan de son boubou, il avait essuyé ses larmes, doucement, tendrement, comme avait fait son père tout à l'heure.

– Tu sais, Samba Diallo, le maître est très content de toi... Allons, cesse de pleurer, c'est fini...

Le chef avait essuyé d'autres larmes encore, en tenant étroitement serré sur sa poitrine le corps frissonnant de son petit cousin.

– Tu sais... en allant voir le maître, tu lui conduiras « Tourbillon ». J'ai donné les instructions nécessaires pour qu'on le tienne prêt.

« Tourbillon » était un magnifique pur-sang arabe, propriété du chef.

– Tu n'auras pas peur ? Tu ne te laisseras pas désarçonner n'est-ce pas ? D'ailleurs, il y aura quelqu'un avec toi. Ah, à propos, la Grande Royale t'a offert des cadeaux. Viens les voir avec moi.

Et ç'avait été un déballage de trésors. Il y avait là des boubous richement teints, des babouches, des pagnes tissés, le tout fait spécialement pour Samba Diallo par les meilleurs artisans du Diallobé. Tard dans l'après-midi, Samba Diallo juché sur « Tourbillon », et accompagné de quelqu'un qui tenait le cheval par la bride pour refréner son ardeur, se dirigea vers la demeure du maître.

Lorsqu'il arriva à proximité, il descendit de cheval et marcha le reste du chemin. À la porte du maître, il se déchaussa, prit ses babouches à la main et entra.

Le maître était assis parmi les disciples qui formaient autour de lui un cercle sonore. Dès qu'il aperçut Samba Diallo, il se mit à lui sourire et se leva pour venir à lui. Samba Diallo, bouleversé, courut et l'obligea à rester assis.

– Tu vois, mon fils, je ne sais même plus me lever. Mais comme tu es beau, Seigneur, comme tu es beau ! Voyez-moi ça ! Allons bon qu'est-ce ? Tu pleures ? Voyons, voyons tu es courageux pourtant. Tu ne pleurais jamais quand je te battais...

Les disciples étaient silencieux. Samba Diallo eut un peu honte d'avoir pleuré devant eux.

– Maître, je viens prendre congé de vous. Je suis bien triste...

Les larmes de nouveau l'étouffaient. Il rabattit sur sa tête le pan de son boubou.

– Mon cousin vous prie... de lui faire la grâce d'accepter...

Il désigna « Tourbillon » du doigt.

– Juste ciel ! Ton cousin en vérité me comble de ses bienfaits. Ce cheval est trop beau ! Je ne puis pas cependant en faire un cheval de trait...

Il se tut un moment.

– Non... Ce cheval ne peut pas être un cheval de trait. Il a la tête trop haute, il est trop beau. On ne peut pas demander au pur-sang de tirer la charrue...

Puis, il eut l'air de s'éveiller d'une profonde méditation.

– Ainsi tu vas retourner à L. ? Tu n'oublieras pas la Parole, n'est-ce pas, mon fils ? Tu n'oublieras jamais ?

« Seigneur, avait pensé le maître, n'abandonne jamais cet enfant. Que la plus petite mesure de Ton empire ne le quitte pas, la plus petite partie du temps. »

Puis Samba Diallo avait pris des mains du serviteur qui l'avait accompagné un lourd paquet, contenant la totalité des cadeaux qu'on lui avait faits. Revenant au maître, il le lui avait remis :

– Je voudrais donner ceci aux disciples qui en voudraient...

– Nous prierons pour toi, mon enfant, avait dit le maître.

Samba Diallo avait couru presque pour sortir du foyer. Derrière lui, il avait entendu le maître demander aux disciples, d'une voix sévère, ce qu'ils attendaient pour poursuivre la psalmodie de la Parole.

Ce soir-là, les gens du Diallobé apprirent que le maître avait fait cadeau au directeur de l'école nouvelle d'un pur-sang.

« Cette bête sémillante, assurait le maître, serait mieux à sa place à l'école nouvelle qu'au Foyer-Ardent... »

Samba Diallo s'était embarqué, quelques jours après pour L.

***

Une lettre avait annoncé au chevalier que les aînés de la famille des Diallobé – la Grande Royale ainsi que le chef – avaient décidé de lui renvoyer Samba Diallo afin qu'il le mît à l'école nouvelle.

En recevant cette lettre, le chevalier sentit comme un coup dans son cœur. Ainsi, la victoire des étrangers serait totale ! Voici que les Diallobé, voici que sa propre famille s'agenouillait devant l'éclat d'un feu d'artifice. Éclat solaire, il est vrai, éclat méridien d'une civilisation exaspérée. Le chevalier se sentit une grande souffrance devant l'irréparable qui s'accomplissait là, sous ses yeux, sur sa propre chair. Que ne comprennent-ils, tous ceux-là, jusque dans sa famille, qui se précipitent, que leur course est un suicide, leur soleil un mirage ! Que n'avait-il, lui, la stature assez puissante pour se dresser sur leur chemin, afin d'imposer un terme à leur course aveugle !

« En vérité, ce n'est pas d'un regain d'accélération que le monde a besoin : en ce midi de sa recherche, c'est un lit qu'il lui faut, un lit sur lequel, s'allongeant, son âme décidera une trêve. Au nom de son salut ! Est-il de civilisation hors l'équilibre de l'homme et sa disponibilité ? L'homme civilisé, n'est-ce pas l'homme disponible ? Disponible pour aimer son semblable, pour aimer Dieu surtout. Mais, lui objectera une voix en lui-même, l'homme est entouré de problèmes qui empêchent cette quiétude. Il naît dans une forêt de questions. La matière dont il participe par son corps – que tu hais – le harcèle d'une cacophonie de demandes auxquelles il faut qu'il réponde : « Je dois manger, fais-moi manger ? », ordonne l'estomac. « Nous reposerons-nous enfin ? Reposons-nous, veux-tu ? » lui susurrent les membres. À l'estomac et aux membres, l'homme répond les réponses qu'il faut, et cet homme est heureux. « Je suis seule, j'ai peur d'être seule, je ne suffis pas, seule... cherche-moi qui aimer », implore une voix. « J'ai peur, j'ai peur. Quel est mon pays d'origine ? Qui m'a apporté ici ? Où me mène-t-on ? » interroge cette voix, particulièrement plaintive, qui se lamente jour et nuit. L'homme se lève et va chercher l'homme. Puis, il s'isole et prie. Cet homme est en paix. Il faut que l'homme réponde à toutes les questions. Toi, tu veux en ignorer quelques-unes... Non, objecta le chevalier pour lui-même. Non ! Je veux seulement l'harmonie. Les voix les plus criardes tentent de couvrir les autres. Cela est-il bon ? La civilisation est une architecture de réponses. Sa perfection, comme celle de toute demeure, se mesure au confort que l'homme y éprouve, à l'appoint de liberté qu'elle lui procure. Mais précisément les Diallobé ne sont pas libres, et tu voudrais maintenir cela ? Non. Ce n'est pas ce que je veux. Mais l'esclavage de l'homme parmi une forêt de solutions vaut-il mieux aussi ? »

Le chevalier tournait et retournait toutes ces pensées de mille façons, dans son esprit.

« Le bonheur n'est pas fonction de la masse des réponses, mais de leur répartition. Il faut équilibrer... Mais l'Occident est possédé et le monde s'occidentalise. Loin que les hommes résistent, le temps qu'il faut, à la folie de l'Occident, loin qu'ils se dérobent au délire d'occidentalisation, le temps qu'il faut, pour trier et choisir, assimiler ou rejeter, on les voit au contraire, sous toutes les latitudes, trembler de convoitise, puis se métamorphoser en l'espace d'une génération, sous l'action de ce nouveau mal des ardents que l'Occident répand. »

À ce moment de ses réflexions, le chevalier eut comme une vision hallucinée. Un point de notre globe brillait d'un éclat aveuglant, comme si un foyer immense y eût été allumé. Au cœur de ce brasier, un grouillement d'humains semblait se livrer à une incompréhensible et fantastique mimique d'adoration. Débouchant de partout, de profondes vallées d'ombres déversaient des flots d'êtres humains de toutes les couleurs, d'êtres qui, à mesure qu'ils approchaient du foyer, épousaient insensiblement le rythme ambiant et, sous l'effet de la lumière, perdaient leurs couleurs originales pour la blafarde teinte qui recouvrait tout alentour.

Il ferma les yeux pour chasser la vision. Vivre dans l'ombre. Vivre humblement et paisiblement, au cœur obscur du monde, de sa substance et de sa sagesse...

Ainsi, quand il avait reçu la lettre du chef des Diallobé, le chevalier était resté assis longtemps. Puis il s'était levé et, dans un coin de la cour, s'étant tourné vers l'Est, il avait longuement prié son Seigneur. Samba Diallo irait à l'école, si telle était la volonté de Dieu.

Au retour du garçon, le chevalier n'avait fait aucun éclat. Mais à travers son calme et son affectueuse sollicitude, Samba Diallo avait perçu la douleur profonde. Devant cette réprobation qui ne s'exprimait pas, cette tristesse qui n'accablait pas, devant ce silence de son père, Samba Diallo avait fondu en larmes et regretté mille fois son départ du Foyer-Ardent.

Cette nuit-là, il sembla que la nature avait voulu s'associer à une délicate pensée du garçon, car le lumineux crépuscule s'était à peine éteint qu'au ciel un millier d'étoiles avait germé. La lune naquit au cœur de leur festival scintillant et la nuit, subitement, parut s'emplir d'une exaltation mystique.

La maison était silencieuse. Le chevalier, étendu sur une chaise longue, dans la véranda, méditait. Les femmes, groupées autour de la mère de famille, causaient à voix basse.

Samba Diallo sortit doucement de sa chambre dans la cour, se promena de long en large, puis, lentement, préluda la Nuit du Coran qu'il offrait au chevalier. Sa voix à peine audible d'abord s'affermit et s'éleva par gradation. Progressivement, il sentit que l'envahissait un sentiment comme il n'en avait jamais éprouvé auparavant. Toute parole avait cessé dans la maison. Le chevalier d'abord nonchalamment étendu, s'était dressé à la voix de Samba Diallo et il semblait maintenant qu'en entendant la Parole il subît la même lévitation qui exhaussait le maître. La mère s'était détachée du groupe des femmes et s'était rapprochée de son fils. De se sentir écouté ainsi par les deux êtres au monde qu'il aimait le plus, de savoir qu'en cette nuit enchantée, lui, Samba Diallo était en train de répéter pour son père ce que le chevalier lui-même avait fait pour son propre père, ce que, de génération en génération depuis des siècles, les fils des Diallobé avaient fait pour leurs pères, de savoir qu'il n'avait pas failli en ce qui le concernait, et qu'il allait prouver à tous ceux-là qui l'écoutaient que les Diallobé ne mourraient pas en lui, Samba Diallo fut un moment sur le point de défaillir. Mais, il songea qu'il importait pour lui, plus que pour aucun autre de ceux qui l'avaient précédé, qu'il s'acquittât pleinement de sa Nuit. Car, cette Nuit, lui semblait-il, marquait un terme. Ce scintillement d'étoiles audessus de sa tête, n'était-il pas le verrou constellé rabattu sur une époque révolue ? Derrière le verrou, un monde de lumière stellaire brillait doucement, qu'il importait de glorifier une dernière fois. Sa voix, qui avait progressivement levé comme liée à la poussée des étoiles se haussait maintenant à une plénitude pathétique. Du fond des âges, il sentait sourdre en lui et s'exhaler par sa voix un long amour aujourd'hui menacé. Progressivement se dissolvait, dans le bourdonnement de cette voix, quelque être qui tout à l'heure encore était Samba Diallo. Insensiblement, se levant de profondeurs qu'il ne soupçonnait pas, des fantômes l'envahissaient tout entier et se substituaient à lui. Il lui sembla que sa voix était devenue innombrable et sourde comme celle du fleuve certains soirs.

Mais la voix du fleuve était moins véhémente et aussi moins près des larmes. La voix du fleuve ne charriait pas ce refus dramatique que maintenant il criait. Elle n'avait pas non plus l'accompagnement de fond de cette mélopée nostalgique.

Longtemps, dans la nuit, sa voix fut celle des fantômes aphones de ses ancêtres qu'il avait suscités. Avec eux, il pleura leur mort ; mais aussi longuement, ils chantèrent sa naissance.

À l'horizon, il semblait que la terre aboutissait à un gouffre. Le soleil était suspendu dangereusement, au-dessus de ce gouffre. L'argent liquide de sa chaleur s'était résorbé, sans que sa lumière eût rien perdu de son éclat. L'air était seulement teinté de rouge et, sous cet éclairage, la petite ville soudain paraissait appartenir à une planète étrange.

Paul Lacroix, debout derrière la vitre fermée, attendait. Qu'attendait-il ? Toute la petite ville attendait aussi, de la même attente consternée. Le regard de l'homme erra sur le ciel où de longues barres de rayons rouges joignaient le soleil agonisant à un zénith qu'envahissait une ombre insidieuse. « Ils ont raison, pensa-t-il, je crois bien que c'est le moment. Le monde va finir. L'instant est fragile. Il peut se briser. Alors, le temps sera obstrué. Non ! » Paul Lacroix faillit prononcer ce « non ». D'un geste brusque, il baissa sur la vitre écarlate le rideau vert qui la surplombait. Le bureau devint un aquarium glauque. Lentement, Paul Lacroix regagna sa chaise.

Derrière sa table, le père de Samba Diallo était demeuré immobile comme indifférent au drame cosmique qui se perpétrait dehors. Son boubou blanc était devenu violet. Les larges draperies qui en tombaient contribuaient, par leur immobilité, à lui donner une stature de pierre. « Jean a raison, pensa Lacroix, il a l'air d'un chevalier du Moyen Âge. »

Il s'adressa à l'homme.

— Ce crépuscule ne vous trouble-t-il pas ? Moi, il me bouleverse. En ce moment, il me semble plus proche de la fin du monde que de la nuit...

Le chevalier sourit.

— Rassurez-vous, je vous prédis une nuit paisible.

— Vous ne croyez pas à la fin du monde, vous ?

— Au contraire, je l'espère même, fermement.

— C'est bien ce que je pensais. Ici, tous croient à la fin du monde, du paysan le plus fruste aux hommes les plus cultivés. Pourquoi? Je me le demandais, et aujourd'hui seulement j'ai commencé de comprendre en regardant le crépuscule.

Le chevalier considéra Paul.

– À mon tour de vous demander : vous ne croyez pas vraiment à la fin du monde?

– Non, évidemment. Le monde n'aura pas de fin. Du moins pas la fin qu'on attend ici. Qu'une catastrophe détruise notre planète, je ne dis pas...

– Notre paysan le plus fruste ne croit pas à cette fin-là, épisodique et accidentelle. Son univers n'admet pas l'accident. Il est plus rassurant que le vôtre, malgré les apparences.

– Peut-être bien. Malheureusement pour nous, c'est mon univers qui est vrai. La terre n'est pas plate. Elle n'a pas de versants qui donnent sur l'abîme. Le soleil n'est pas un lampadaire fixé sur un dais de porcelaine bleue. L'univers que la science a révélé à l'Occident est moins immédiatement humain, mais avouez qu'il est plus solide...

– Votre science vous a révélé un monde rond et parfait, au mouvement infini. Elle l'a reconquis sur le chaos. Mais je crois que, ainsi, elle vous a ouvert au désespoir.

– Non pas, elle nous a libérés de craintes... puériles et absurdes.

– Absurdes? L'absurde, c'est le monde qui ne finit pas. Quand saurait-on la vérité? toute la vérité? Pour nous, nous croyons encore à l'avènement de la vérité. Nous l'espérons.

« C'est donc cela, pensa Lacroix. La vérité qu'ils n'ont pas maintenant, qu'ils sont incapables de conquérir, ils l'espèrent pour la fin. Ainsi, pour la justice aussi. Tout ce qu'ils veulent et qu'ils n'ont pas, au lieu de chercher à le conquérir, ils l'attendent à la fin. » Il n'exprima pas sa pensée. Il dit simplement :

– Quant à nous, chaque jour, nous conquérons un peu plus de vérité, grâce à la science. Nous n'attendons pas...

« J'étais sûr qu'il n'aurait pas compris, songea le chevalier. Ils sont tellement fascinés par le rendement de l'outil qu'ils en ont perdu l'immensité infinie du chantier. Ils ne voient pas que la vérité qu'ils découvrent chaque jour est chaque jour plus étriquée. Un peu de vérité chaque jour... bien sûr, il le faut, c'est nécessaire. Mais la Vérité ? Pour avoir ceci, faut-il renoncer à cela ? »

— Je crois que vous comprenez très bien ce que je veux dire. Je ne conteste pas la qualité de la vérité que révèle la science. Mais c'est une vérité partielle, et tant qu'il y aura de l'avenir, toute vérité sera partielle. La vérité se place à la fin de l'histoire. Mais je vois que nous nous engageons dans la voie décevante de la métaphysique.

— Pourquoi dites-vous « décevante » ?

— « À toute parole on peut en opposer une autre », n'est-ce pas ce qu'a dit un de vos Anciens ? Dites-moi franchement si ce n'est pas là votre conviction, aujourd'hui encore.

— Non. Et, s'il vous plaît, ne vous retenez pas de faire de la métaphysique. Je voudrais connaître votre monde.

— Vous le connaissez déjà. Notre monde est celui qui croit à la fin du monde. Qui l'espère et la craint tout à la fois. Voilà pourquoi, tantôt, j'ai éprouvé une grande joie lorsqu'il m'a semblé que vous étiez angoissé devant la fenêtre. Voilà, me disais-je, il pressent la fin...

— Non, ce n'était pas de l'angoisse, à la vérité. Ça n'allait pas jusque-là...

— Alors, je vous souhaite du fond du cœur de retrouver le sens de l'angoisse devant le soleil qui meurt. Je le souhaite à l'Occident, ardemment. Quand le soleil meurt, aucune certitude scientifique ne doit empêcher qu'on le pleure, aucune évidence rationnelle, qu'on se demande s'il renaîtra. Vous vous mourez lentement sous le poids de l'évidence. Je vous souhaite cette angoisse. Comme une résurrection.

— À quoi naîtrions-nous ?

– À une vérité profonde. L'évidence est une qualité de surface. Votre science est le triomphe de l'évidence, une prolifération de la surface. Elle fait de vous les maîtres de l'extérieur mais en même temps elle vous y exile, de plus en plus.

Il y eut un moment de silence. Dehors, le drame vespéral avait pris fin. Le soleil était tombé. Derrière lui, une masse imposante de nuages écarlates achevait de s'écrouler à sa suite, comme une monstrueuse traînée de sang coagulé. L'éclat rouge de l'air s'était progressivement attendri, sous l'effet de la lente invasion de l'ombre.

« Étrange, songeait Lacroix, cette fascination du néant sur ceux qui n'ont rien. Leur néant, ils l'appellent l'absolu. Ils tournent le dos à la lumière, mais ils regardent fixement l'ombre. Est-ce que cet homme n'est pas sensible à sa pauvreté ? »

À ce moment s'éleva la voix du chevalier. Elle était basse et méditative, comme s'il se parlait à lui-même.

– Je voulais vous dire, néanmoins...

Il hésitait.

– Que voulez-vous dire, monsieur ?

– Je voulais vous dire que c'est moi-même, finalement qui ai mis mon fils à votre école.

– À votre tour, vous me donnez une grande joie.

– J'ai mis mon fils à votre école et j'ai prié Dieu de nous sauver tous, vous et nous.

– Il nous sauvera, s'Il existe.

– J'ai mis mon fils à l'école parce que l'extérieur que vous avez arrêté nous envahissait lentement et nous détruisait. Apprenez-lui à arrêter l'extérieur.

– Nous l'avons arrêté.

– L'extérieur est agressif. Si l'homme ne le vainc pas, il détruit l'homme et fait de lui une victime de tragédie. Une plaie qu'on néglige ne guérit pas, mais s'infecte jusqu'à la gangrène. Un enfant qu'on n'éduque pas régresse. Une société qu'on ne gouverne pas se détruit. L'Occident érige la science contre ce chaos envahissant, il l'érige comme une barricade.

À ce moment, Lacroix dut lutter contre la tentation impérieuse de tourner le commutateur électrique à portée de sa main. Il eût aimé scruter le visage d'ombre de cet homme immobile, face à lui. Il percevait dans sa voix une tonalité qui l'intriguait et qu'il aurait voulu référer à l'expression du visage. « Mais aussi, songea-t-il, si j'allume, cet homme peut se taire. Ce n'est pas à moi qu'il parle. C'est à lui-même ! » Il l'écouta.

– Chaque heure qui passe apporte un supplément d'ignition au creuset où fusionne le monde. Nous n'avons pas eu le même passé, vous et nous, mais nous aurons le même avenir, rigoureusement. L'ère des destinées singulières est révolue. Dans ce sens, la fin du monde est bien arrivée pour chacun de nous, car nul ne peut plus vivre de la seule préservation de soi. Mais, de nos longs mûrissements multiples, il va naître un fils au monde. Le premier fils de la terre. L'unique aussi.

Lacroix le sentit qui se tournait légèrement, dans l'ombre, vers lui.

– Monsieur Lacroix, cet avenir, je l'accepte. Mon fils en est le gage. Il contribuera à le bâtir. Je veux qu'il y contribue, non plus en étranger venu des lointains, mais en artisan responsable des destinées de la cité.

– Il nous enseignera les secrets de l'ombre. Il nous découvrira les sources où s'abreuve votre jeunesse.

– Ne vous forcez pas, monsieur Lacroix ! Je sais que vous ne croyez pas en l'ombre. Ni à la fin. Ce que vous ne voyez pas n'est pas. L'instant, comme un radeau, vous transporte sur la face lumineuse de son disque rond, et vous niez tout l'abîme qui vous entoure. La cité future, grâce à mon fils, ouvrira ses baies sur l'abîme, d'où viendront de grandes bouffées d'ombre sur nos corps desséchés, sur nos fronts altérés. Je souhaite cette ouverture, de toute mon âme. Dans la cité naissante, telle doit être notre œuvre, à nous tous, Hindous, Chinois, Sud-Américains, Nègres, Arabes ; nous tous, dégingandés et lamentables, nous les sous-développés, qui nous sentons gauches en un monde de parfait ajustement mécanique.

Il faisait tout à fait nuit, maintenant. Lacroix, immobile, entendit dans l'ombre cette étrange prière :

« Dieu en qui je crois, si nous ne devons pas réussir, vienne l'Apocalypse ! Prive-nous de cette liberté dont nous n'aurons pas su nous servir. Que Ta main, alors, s'abatte, lourde, sur la grande inconscience. Que l'arbitraire de Ta volonté détraque le cours stable de nos lois... »

« Pourquoi veulent-ils que je sache, pensait le maître. Ils savent mieux que moi ce qu'ils désirent : Au fond... »

Il s'interrompit pour se gratter énergiquement le flanc. Soulevant le pan de son boubou, il vit, courant sur sa peau, une grosse punaise brune. Il la prit délicatement et la posa sur le sol, puis se recoucha.

« Au fond, ils ont déjà choisi. Ils sont comme une femme consentante. L'enfant qui n'est pas encore conçu appelle. Il faut bien que l'enfant naisse. Ce pays attend un enfant. Mais, pour que l'enfant naisse, il faut que le pays se donne... Et ça... ça... Mais, aussi, la misère, à la longue, ne mettra-t-elle pas l'amertume dans nos cœurs ? La misère est ennemie de Dieu... »

Tout le côté droit du maître était endolori. Il se retourna sur le dos.

Ce jour-là, rien n'était monté vers le ciel, ni la flamme du foyer ni l'écho des voix juvéniles. Le maître avait réduit ses prières au strict minimum. Lui, qui dormait peu parce qu'il priait toujours, il était resté couché depuis le matin et son corps, déshabitué à la mollesse, se fatiguait de ce repos.

Cette maison silencieuse concentrait sur elle, cependant, la pensée de tout le pays des Diallobé, sur elle et sur la forme inquiète qu'elle contenait en son sein, comme l'amande au cœur de la noix.

Le maître eût pu dire oui, c'était facile et le pays eût explosé de joie. Il lui eût été facile de dire non, et le pays eût obéi. Il ne disait rien. Les hommes du Diallobé sentaient le drame et pensaient à leur maître avec compassion et reconnaissance tout à la fois.

« Mon Dieu, vous avez voulu que vos créatures vivent sur la coquille solide de l'apparence. La vérité les noierait. Mais, Seigneur de vérité, vous savez que l'apparence prolifère et durcit. Seigneur, préservez-nous de l'exil derrière l'apparence. »

C'est la veille au soir que la délégation était venue. Ardo Diallobé, le premier fils du pays, la conduisait. On avait remarqué aussi Dialtabé, le maître des pêcheurs, Farba, le maître des griots, le chef de la corporation des forgerons, celui des cordonniers, et bien d'autres encore. La maison du maître en avait été remplie.

— Maître, avait dit Ardo Diallobé, le pays fera ce que vous direz.

— Je ne dirai rien, avait répondu le maître, car je ne sais rien. Je suis seulement l'humble guide de vos enfants, et non point de vous, mes frères.

Un silence avait suivi et le premier des Diallobé avait repris :

— La Parole, certes, peut se suspendre comme un habit, maître. La vie ne se suspend pas. L'heure de prendre une décision est venue pour notre pays. Le chef des Diallobé nous a dit : « Je suis la main qui fait. Le corps et la tête, c'est vous, gens des Diallobé. Dites et je ferai. » Que dirons-nous ?

Le maître s'était dressé alors :

— Je jure sur la Parole que je ne le sais pas.

Ce qu'un homme sait vraiment est pour lui comme la suite des nombres : il peut le dire infiniment et le prendre dans tous les sens, sans limites. Ce que je pourrais vous dire maintenant, au contraire, est rond et court : « Faites » ou bien encore « Ne faites pas », sans plus. Ne voyez-vous pas, vous-mêmes, la facilité avec laquelle cela peut se dire, et comme il n'y a pas plus de raisons de dire ceci que cela ?

Le maître avait parlé avec véhémence, et ses yeux regardaient tout le monde à la fois, comme pour communiquer à chacun la conviction qu'il ne savait rien. Mais l'assistance était demeurée morne. La parole du maître avait été trop haute peut-être. Il reprit, cherchant à s'expliquer d'une autre façon :

— Je sais ce que vous attendez, gens des Diallobé. Vous ne savez pas ce que vous devez faire. Vous avez pensé alors : « Allons voir le maître de nos enfants, pour qu'il nous dise ce que nous devons faire », n'est-ce pas ?

– C'est exact, acquiesça le premier des Diallobé.

Le maître poursuivit :

– Vous attendez que ce que je vous dirai indique ce que vous ferez, comme dix indique onze à celui qui compte bien, n'est-ce pas ?

Il y eut un murmure d'acquiescement.

– Gens des Diallobé, je vous jure que je ne sais rien de semblable. Autant que vous, je voudrais savoir.

Les hommes réunis se regardèrent profondément troublés. Si le maître ne savait pas, qui donc saurait ? Le pays cependant devait prendre une décision. Les voyageurs venus des provinces lointaines rapportaient que les hommes partout avaient choisi d'envoyer leurs enfants à l'école étrangère. Ces générations nouvelles allaient apprendre à construire des demeures, à soigner les corps à l'intérieur de ces demeures, comme savaient le faire les étrangers.

Le maître n'eut pas conscience de leur départ. Ayant dit, il s'était replongé dans ses pensées.

***

Lorsque le fou vint, il trouva le maître dans la même attitude, allongé sur le dos, un bras le long du corps, l'autre replié sur le visage, au-dessus des yeux.

L'homme était sanglé dans une vieille redingote, sous laquelle le moindre des gestes qu'il faisait révélait qu'il portait les habits amples des Diallobé. La vieillesse de cette redingote, sa propreté douteuse par-dessus la netteté immaculée des boubous donnaient au personnage un aspect insolite. La physionomie, comme les habits, laissait une impression hétéroclite. Les traits en étaient immobiles hormis les yeux qu'habitait une inquiétude de tous les instants. On eût dit que l'homme savait un secret maléfique au monde et qu'il s'efforçait, par un effort constant, d'en empêcher le jaillissement extérieur. La versatilité du regard ensuite, jamais arrêté, dont les expressions étaient détruites à peine étaient-elles nées, faisait douter que le cerveau de cet homme pût seulement contenir une pensée lucide.

Il parlait peu, et cela, depuis qu'on avait commencé à le surnommer « le fou ».

Cet homme, qui était un fils authentique du pays, en était parti jadis, sans même que sa famille sût où il allait. Il était resté absent de longues années durant, puis un matin, il était revenu, sanglé dans sa redingote. Au moment de ce retour, une grande volubilité l'habitait. Il prétendait qu'il revenait du pays des Blancs et qu'il s'y était battu contre des Blancs. Dans les débuts, on le crut sur parole, bien qu'aucun des autres fils du pays, qui avaient été à la guerre des Blancs, n'eût confirmé l'y avoir vu. Mais, assez vite, on commença de mettre ses propos en doute.

C'est que, d'abord, son récit était si extravagant qu'il était difficile de lui accorder foi. Mais, plus encore que cette extravagance du récit, c'était la mimique de l'homme qui inquiétait. En effet, à mesure qu'il racontait, le fou se mettait à revivre, comme dans un délire, les circonstances de son récit. Un jour, en expliquant comment il avait été blessé au ventre – de fait, il y portait une cicatrice –, l'homme s'était subitement recroquevillé, puis était tombé, les bras au ventre, en poussant un râle d'agonie. Une longue fièvre avait suivi. Depuis, on s'ingénia à l'éviter, cependant que lui-même ne se remettait de ses crises que pour courir à la recherche d'auditeurs complaisants, devant qui il faisait revivre dramatiquement les circonstances de ses souvenirs.

Un jour, il sut qu'on l'avait surnommé « le fou ». Alors, il se tut. Le surnom lui resta néanmoins.

L'homme s'assit à côté du maître, qu'il croyait endormi, pour attendre son réveil.

– Ah ! c'est toi ? Qu'est-ce que tu fais là ?

– Ils te fatiguent beaucoup, n'est-ce pas, tous ces gens...

Et le fou désigna vaguement les maisons autour de la demeure du maître.

– Chasse-les. Tu les chasseras, n'est-ce pas, la prochaine fois qu'ils viendront?

Son regard brillant eut l'air, une fraction de seconde, d'attendre avec anxiété une réponse.

– Dis, tu les chasseras, n'est-ce pas?

– Oui, je les chasserai.

L'homme se calma.

– Maintenant ils viennent à toi. Ils sont humbles et doux comme des brebis. Mais il ne faut pas qu'ils te trompent. Dans le fond, ils ne sont pas des brebis. C'est parce que tu es encore là, avec ta maison vide et tes pauvres habits, qu'ils restent encore des brebis. Mais tu vas mourir, ainsi que ta maison pauvre. Alors vite, leur nature changera, je te le dis : dès que tu mourras. Toi seul retiens la métamorphose.

Il se pencha et baisa avec passion la main du maître. Celui-ci sursauta, retira sa main comme si elle eût été brûlée, puis, se ravisant, la rendit au fou, qui se mit à la caresser.

– Tu vois, quand tu mourras, toutes ces maisons de paille mourront avec toi. Tout, ici, sera comme là-bas. Tu sais, là-bas...

Le maître qui était toujours allongé voulut se lever, mais le fou, doucement le retint. Simplement, il se rapprocha un peu et soulevant du sol, délicatement, la tête du maître, il la posa sur le gras de sa cuisse, confortablement.

– Comment c'est, là-bas? s'enquit le maître.

Une furtive expression de bonheur se peignit dans le regard du fou.

– C'est vrai? Tu veux que je te dise?

– Oui, dis-moi.

Et le fou parla ainsi :

– Ce fut le matin que j'y débarquai. Dès mes premiers pas dans la rue, j'éprouvai une angoisse indicible. Il me sembla que mon cœur et mon corps ensemble se crispaient. Je frissonnai et revins dans l'immense hall du débarcadère. Sous moi, mes jambes étaient molles et tremblantes. Je ressentis une forte envie de m'asseoir. Alentour, le carrelage étendait son miroir brillant où résonnait le claquement des souliers. Au centre de l'immense salle, j'aperçus une agglomération de fauteuils rembourrés. Mais ! à peine mon regard s'y était-il posé que je ressentis un regain de crispation, comme une insurrection accentuée de tout mon corps. Je posai mes valises à terre et m'assis à même le carrelage froid. Autour de moi, les passants s'arrêtèrent. Une femme vint à moi. Elle me parla. Je crus comprendre qu'elle me demanda si je me sentais bien. L'agitation de mon corps se calmait, malgré le froid du carrelage qui me pénétrait les os. J'aplatis mes mains sur ce carrelage de glace. L'envie me prit même d'ôter mes souliers, pour toucher du pied le froid miroir glauque et brillant. Mais j'eus vaguement conscience d'une incongruité. Simplement, j'étendis mes jambes, qui entrèrent ainsi en contact de toute leur longueur avec le bloc glacé.

Le maître se souleva un peu pour rencontrer le regard du fou. La cohérence subite du récit l'avait frappé. Son étonnement crût alors lorsqu'il vit que ce regard maintenant était fixe. Jamais il ne l'avait vu ainsi. Le maître remit sa tête sur les genoux du fou. Il perçut que l'homme tremblait doucement.

– Déjà autour de moi un petit groupe s'était formé. Un homme se fraya un passage jusqu'à moi et me prit le poignet. Puis, il fit signe qu'on me mît sur un divan proche. Quand des mains empressées se tendirent vers moi pour me soulever, je les écartai, et, d'un mouvement très dégagé, je me mis debout, dominant d'une bonne tête toute l'assistance. J'avais recouvré ma sérénité et, maintenant que j'étais debout, rien ne dut leur apparaître, de toute ma personne, qui ne fût solide et parfaitement sain. Autour de moi, je sentis que les gens se consultaient, un peu surpris de ma résurrection subite. Je bredouillai des mots d'excuse. Je me baissai et, ramassant aisément une lourde valise de chaque main, je traversai le cercle des spectateurs ébahis. Mais, à peine étais-je dans la rue que je sentis de nouveau renaître ma crispation. Au prix d'efforts considérables, je réussis à n'en rien laisser paraître et me hâtai de m'éloigner de cet endroit. Sur mon dos, je sentais à travers les vitres du hall immense le poids de nombreux regards. Je tournai un coin de rue et, avisant une porte enfoncée dans un mur, je déposai mes valises à terre et m'assis sur l'une d'elles, à l'abri de la sollicitude des passants. Il était temps, car mon tremblement recommençait de devenir apparent. Ce que j'éprouvais était plus profond qu'une simple sédition de mon corps. Ce tremblement qui, maintenant que j'étais assis, se mourait de nouveau, me parut l'écho fraternel de mon corps à un désarroi plus intime. Un homme, passant à côté de moi, voulut s'arrêter. Je tournai la tête. L'homme hésita puis, hochant la tête, poursuivit son chemin. Je le suivis du regard. Son dos carré se perdit parmi d'autres dos carrés. Sa gabardine grise, parmi les gabardines. Le claquement sec de ses souliers se mêla au bruit de castagnettes qui courait à ras d'asphalte. L'asphalte... Mon regard parcourait toute l'étendue et ne vit pas de limite à la pierre. Là-bas, la glace du feldspath, ici, le gris clair de la pierre, ce noir mat de l'asphalte. Nulle part la tendre mollesse d'une terre nue. Sur l'asphalte dur, mon oreille exacerbée, mes yeux avides guettèrent, vainement, le tendre surgissement d'un pied nu. Alentour, il n'y avait aucun pied. Sur la carapace dure, rien que le claquement d'un millier de coques dures. L'homme n'avait-il plus de pieds de chair? Une femme passa, dont la chair rose des mollets se durcissait monstrueusement en deux noires conques terminales, à ras d'asphalte. Depuis que j'avais débarqué, je n'avais pas vu un seul pied. La marée des conques sur l'étendue de l'asphalte courait à ras. Tout autour, du sol au faîte des immeubles, la coquille nue et sonore de la pierre faisait de la rue une vasque de granit. Cette vallée de pierre était parcourue, dans son axe, par un fantastique fleuve de mécaniques enragées. Jamais, autant que ce jour-là, les voitures automobiles – que je connaissais cependant — ne m'étaient apparues ainsi souveraines et enragées, si sournoises bien qu'obéissantes encore. Sur le haut du pavé qu'elles tenaient pas un être humain qui marchât. Jamais je n'avais vu cela, maître des Diallobé. Là, devant moi, parmi une agglomération habitée, sur de grandes longueurs, il m'était donné de contempler une étendue parfaitement inhumaine, vide d'hommes. Imagines-tu cela, maître, au cœur même de la cité de l'homme, une étendue interdite à sa chair nue, interdite aux contacts alternés de ses deux pieds...

— Cela est-il vrai ? Est-il vrai qu'au cœur de sa propre demeure la furtive silhouette de l'homme connût maintenant des espaces mortels ?

Le fou tressaillit de joie, qu'on l'eût si bien compris.

— Oui, je l'ai vu. Tu sais, maître, la délicate silhouette qui s'appuie sur une jambe, puis sur une autre, pour avancer...

— Eh bien ?

— Je lui ai vu, dans sa propre demeure, des étendues mortelles. Les mécaniques y régnaient.

Le fou se tut. Les deux hommes demeurèrent silencieux, longtemps ; puis, doucement, le maître demanda :

— Qu'as-tu vu encore ?

— C'est vrai ? Tu veux que je te dise ?

— Oui, dis-moi.

— J'ai vu les mécaniques. Ce sont des coquilles. C'est l'étendue enroulée, et qui se meut. Or, tu sais que l'étendue n'a point d'intérieur ; elle n'a donc rien à perdre. Elle ne peut pas se blesser, comme la silhouette, mais seulement se dérouler. Aussi, elle a refoulé la silhouette, peureuse, elle, en se blessant, de perdre l'intérieur qu'elle contient.

— Je te comprends, continue.

— Cette étendue se meut. Or, tu sais qu'elle était la stabilité même qui rendait apparent le mouvement, comme son miroir. Maintenant, elle a commencé à se mouvoir. Son mouvement est plus achevé que la progression saccadée de la silhouette hésitante. Elle ne peut tomber, où tomberait-elle ? Aussi, elle a refoulé la silhouette, peureuse, elle, en tombant, de perdre le mouvement.

Le fou se tut. Le maître, prenant appui sur un coude, se dressa et vit qu'il pleurait.

Le maître s'assit alors tout à fait et attirant le fou, l'obligea à s'adosser sur sa poitrine, la tête du fou au creux de son épaule. De sa main nue, il essuya les larmes de l'homme, puis, doucement, se mit à le bercer.

– Maître, je voudrais prier avec toi, pour repousser le surgissement. De nouveau le chaos obscène est dans le monde et nous défie.

Le chevalier ôta ses lunettes, referma son Coran et, longuement, demeura immobile, face à l'Est. Son visage était tout à la fois grave et serein. Samba Diallo, étendu tout près sur un tapis, glissa le crayon qu'il tenait à la main droite entre deux pages du livre qu'il lisait et considéra son père.

« La Parole doit continuer de retentir en lui, se dit-il. Il est de ceux qui ne cessent pas de prier, pour avoir refermé leur livre de prières. Dieu lui est présence constante... et indispensable. C'est cette présence, je crois, qui lui colle ainsi la peau sur les os du front, lui enfonce dans les orbites profondément excavées ce regard lumineux et calme. Sa bouche n'est ni sourire, ni amertume. Les prières profondes doivent certainement incinérer dans l'homme toute exubérance profane de vie. Mon père ne vit pas, il prie...

« Tiens ! Pourquoi ai-je pensé cela ? Pourquoi ai-je pensé la prière et la vie en termes d'opposition ? Il prie, il ne vit pas... À coup sûr, nul autre dans cette maison ne l'aurait pensé ainsi. Moi seul pouvais avoir cette idée bizarre d'une vie qui serait, de quelque façon, hors la présence de Dieu... Curieux. Idée bizarre. Où donc ai-je pu la prendre ? Cette idée m'est étrangère. L'étonnement dans lequel elle me met en est la preuve. C'est en tout cas une idée évoluée, je veux dire qui marque un progrès de précision sur mon état d'esprit antérieur : elle distingue, elle spécifie. Il y a Dieu et il y a la vie, qui ne sont pas nécessairement confondus. Il y a l'oraison et il y a le combat. Cette idée est-elle juste ? Si je n'écoutais que cet homme qui dort en moi d'un sommeil de plus en plus profond, je répondrais : « Non, cette idée est même insensée, la vie n'est que de façon seconde ; elle est de temps en temps. Dieu seul est, constamment. La vie n'est que dans la mesure et de la façon de l'être de Dieu. »

« Cet homme avait-il raison? Le mal est de la vie, le mal est-il de Dieu? Il y a même plus simple et plus prosaïque. Soit le travail. Je ne peux pas lutter, travailler pour vivre, pour faire vivre ma famille, et en même temps être pleinement avec Dieu. Mon maître au Foyer-Ardent prie toujours, sauf quand il cultive la terre. Il est vrai qu'il chante encore des litanies. Mais, il ne prie pas de la même façon que quand il est au foyer, sur son tapis de prières. Ainsi de mon père. Avec lui, c'est même plus net. Quand il est au bureau, il est moins près de Dieu encore que le maître aux champs. Le travail de mon père absorbe sa pensée. À la limite, un travail qui absorberait complètement son homme le maintiendrait tout le temps hors de Dieu... Il n'est pas de travail qui absorbe complètement son homme, il est vrai. Mais cependant, il est des pays où de grandes masses d'hommes sont longuement aliénées de Dieu. Peut-être... Peut-être est-ce le travail qui fait l'Occident de plus en plus athée... Idée curieuse... »

– Que lis-tu donc là?

Le chevalier, toujours assis sur son tapis, en une pause de prière, lui souriait.

Samba Diallo lui tendit le livre qu'il tenait encore d'une main.

– *Les Pensées*... Hum ! Pascal. C'est certainement l'homme d'Occident le plus rassurant. Mais, méfie-toi même de lui. Il avait douté. Lui aussi a connu l'exil. Il est vrai qu'il est revenu ensuite, en courant ; il sanglotait de s'être égaré, et en appelait au « Dieu d'Abraham, d'Isaac, et de Jacob », contre celui des « philosophes et des savants ». Son itinéraire de retour commença comme un miracle et s'acheva comme une grâce. Les hommes d'Occident connaissent de moins en moins le miracle et la grâce...

– Mais précisément, je pensais que c'est peut-être parce que l'Occident a du travail...

– Que veux-tu dire ? Je ne sais si je comprends bien ton objection.

Samba Diallo n'osait pas tout à fait révéler au chevalier la teneur de sa pensée, et en particulier la faille redoutable qu'il avait cru découvrir. Il craignait de l'inquiéter en songeant combien lui-même avait été surpris. Il tempéra donc son propos.

— Tu as parlé d'exil de Pascal, en songeant, sans doute à la partie de son existence qui a précédé le Mémorial... Or, cette période de déréliction fut aussi une période de travail scientifique intense...

— Oui, je te comprends. Mais ton idée est bizarre.

Le chevalier considéra son fils en silence, quelques secondes, puis, au lieu de répondre à sa question, il lui demanda :

— À ton avis, pourquoi travaille-t-on ?

— Pour vivre...

— Ta réponse me plaît. Mais à ta place, j'aurais été moins catégorique. Ma réponse aurait été énumérative, de la forme suivante, par exemple : « On peut travailler pour vivre, on peut travailler pour survivre, dans l'espoir de multiplier la vie qu'on a, sinon dans la – on ne le peut encore – du moins dans son intensité : le but du travail est alors d'accumuler. On peut travailler... pour travailler, cela se trouve. » Mon énumération n'est pas limitative. Admets-tu que je sois plus dans le vrai que toi ? et que mon énumération est juste ?

— Oui.

Le chevalier joignit ses deux mains si belles et les posa sur ses genoux. Son regard se perdit devant lui. « Même en pensant, il a l'air de prier, se dit Samba Diallo. Peut-être prie-t-il réellement ? Dieu l'a vraiment envahi tout entier. »

— Donc, on peut travailler par nécessité, pour faire cesser la grande douleur du besoin, celle qui sourd du corps et de la terre, pour imposer silence à toutes ces voix qui nous harcèlent de demandes. On travaille alors pour se maintenir, pour conserver l'espèce. Mais on peut travailler aussi par avidité ; dans ce cas, on ne cherche pas seulement à obstruer le trou du besoin ; il est déjà pleinement comblé. On ne cherche pas même à devancer la prochaine échéance de ce besoin. On accumule frénétiquement, on croit qu'en multipliant la richesse on multiplie la vie. Enfin, on peut travailler par manie du travail, je ne dis pas pour se distraire, c'est plus frénétique que cela, on travaille par système. Il en est du travail comme de l'acte sexuel. Tous deux visent la perpétuation de l'espèce. Mais tous deux peuvent avoir leur perversion : chaque fois qu'ils ne se justifient pas par cette visée.

Son regard sembla revenir plus près. Il changea d'attitude et se pencha vers Samba Diallo. « Oh ! comme il est beau et comme je l'aime de se passionner ainsi pour son idée. »

– Veux-tu maintenant que nous élargissions et examinions ces idées en fonction de Dieu ?

– Oui. Prenons le cas où le travail vise à conserver la vie. Raisonnons sur lui, puisqu'il est le cas de rigueur. Même dans ce cas, le travail diminue la place de Dieu dans l'attention de l'homme. Cette idée me blesse par quelque côté. Elle me paraît contradictoire. La conservation de la vie – donc le travail qui la rend possible – doit être œuvre pie. La contemplation de Dieu est l'œuvre pie par excellence. D'où vient la contrariété de ces deux visées, cependant les mêmes par ailleurs ?

Tout le temps qu'il parlait, Samba Diallo avait baissé le regard, en partie pour mieux suivre son idée et en partie pour se dérober au regard du chevalier. Quand il eut fini, il leva les yeux. Le chevalier, toujours dans la même posture de prière, souriait maintenant d'un air à la fois ravi et moqueur. Ses yeux pétillaient. « Il étincelle, le moine étincelle », pensa Samba Diallo.

– Pourquoi t'obstines-tu à baisser le regard ? Discutons plutôt, apprenti philosophe.

Il marqua un temps, eut l'air de s'assombrir et ajouta :

– J'aime mieux ces idées qu'on éprouve au grand jour que celles qu'on laisse rancir par-devers soi. Ce sont celles-là qui empoisonnent et parfois tuent.

Il se rasséréna à l'instant et à nouveau se mit à sourire.

– Il me semble, jeune philosophe, pour en revenir à l'idée qui t'inquiète, qu'il nous faut la serrer de plus près, afin de l'avoir simple et pure. Or, l'idée du travail pour la conservation de la vie ne me paraît pas assez simple. Elle a des stades antérieurs.

– Assurément, par exemple l'idée même de la vie, en tant que valeur.

– Bravo ! Considérons le travail dans le cas où il est lié à la vie par un rapport de justification. Je dis que tout ce qui justifie et donne son sens à la vie, par là même et a posteriori, donne son sens au travail...

– Je vois ta conclusion. Lorsqu'une vie se justifie de Dieu, tout ce qui tend à la conserver – donc le travail – se justifie aussi de Lui.

– Correct. Le travail, en effet, se justifie de Dieu dans la mesure stricte où la vie qu'il conserve se justifie de Dieu. Si un homme croit en Dieu, le temps qu'il prend à sa prière pour travailler est encore prière. C'est même une très belle prière.

Samba Diallo, longtemps, demeura silencieux. Le chevalier était absorbé par ses pensées. Il ne souriait plus.

– J'ajoute – mais ce n'est plus là que l'expression d'une conviction personnelle – qu'une vie qui se justifie de Dieu ne saurait aimer l'exubérance. Elle trouve son plein épanouissement dans la conscience qu'elle a, au contraire, de sa petitesse comparée à la grandeur de Dieu. Chemin faisant, elle se grandit, mais cela ne lui importe pas.

– Mais si la vie ne se justifie pas de Dieu ? Je veux dire, si l'homme qui travaille ne croit pas en Dieu ?

– Alors, que lui importe de justifier son travail autrement que par le profit qu'il en tire ? La vie dans ce cas n'est pas œuvre pie. La vie est la vie, aussi court que cela puisse paraître.

Ils observèrent le silence quelque temps, puis le chevalier reprit :

– L'Occident est en train de bouleverser ces idées simples, dont nous sommes partis. Il a commencé, timidement, par reléguer Dieu « entre des guillemets ». Puis, deux siècles après, ayant acquis plus d'assurance, il décréta : « Dieu est mort ». De ce jour, date l'ère du travail frénétique. Nietzsche est contemporain de la révolution industrielle. Dieu n'était plus là pour mesurer et justifier. N'est-ce pas cela, l'industrie ? L'industrie était aveugle, quoique, finalement, il fût encore possible de domicilier tout le bien qu'elle produisait... Mais déjà cette phrase est dépassée. Après la mort de Dieu, voici que s'annonce la mort de l'homme.

– Je ne comprends pas...

– La vie et le travail ne sont plus commensurables. Jadis, il existait comme une loi d'airain qui faisait que le travail d'une seule vie ne pouvait nourrir qu'une seule vie. L'art de l'homme a brisé cette loi. Le travail d'un seul permet de nourrir plusieurs autres, de plus en plus de personnes. Mais voici que l'Occident est sur le point de pouvoir se passer de l'homme pour produire du travail. Il ne sera plus besoin que de très peu de vie pour fournir un travail immense.

– Mais : il me semble qu'on devrait plutôt se réjouir de cette perspective.

– Non. En même temps que le travail se passe de la vie humaine, en même temps il cesse d'en faire sa visée finale, de faire cas de l'homme. L'homme n'a jamais été aussi malheureux qu'en ce moment où il accumule tant. Nulle part, il n'est aussi méprisé que là où se fait cette accumulation. C'est ainsi que l'histoire de l'Occident me paraît révélatrice de l'insuffisance de garantie que l'homme constitue pour l'homme. Il faut au bonheur de l'homme la présence et la garantie de Dieu.

Il se tut, puis ajouta pensivement :

– Peut-être Pascal avait-il aperçu cela, peut-être son regard perçant avait-il vu de loin ce que la myopie méthodologique des savants n'avait pas vu.

Subitement, le chevalier leva le regard au ciel et dit :
– Mais voici l'heure du crépuscule. Prions.

***

Sur le moment, Samba Diallo avait retrouvé la paix. La parole de son père l'avait rasséréné une fois encore, comme jadis celle du maître. Il y a ceux qui croient et il y a ceux qui ne croient pas, la division est nette. Elle ne laisse aucun homme en dehors d'elle.

Donc, il y a ceux qui croient. Ce sont, avait dit le chevalier, ceux qui se justifient de Dieu. Samba Diallo s'arrêta à considérer ce nouveau pas. L'idée était juste. En effet, se dit-il, l'acte de foi est un acte d'allégeance. Il n'est rien du croyant qui ne tire de cette allégeance une signification particulière. Ainsi, l'acte d'un croyant, s'il est volontaire, est différent dans son essence de l'acte matériel identique d'un non-croyant. Ainsi de son travail. À ce moment de sa réflexion, Samba Diallo entendit, comme un écho ramené par sa mémoire, la voix du maître qui commentait, bien des années auparavant, un des versets de la Parole : « C'est Dieu qui nous a créés, nous et ce que nous faisons », disait le maître, et il insistait sur le second membre de sa phrase, expliquant qu'il découlait nécessairement du premier. Il ajoutait que la grandeur de Dieu se mesurait à ce que, en dépit d'une législation aussi totalitaire, l'homme néanmoins se sentait libre. « Pour être dans l'eau, le poisson est-il moins libre que l'oiseau dans les airs ? » Samba Diallo dut faire un effort pour détacher sa pensée du souvenir du maître.

« Si un homme se justifie de Dieu, le temps qu'il prend à sa prière pour travailler est encore prière... » Le chevalier avait raison. Tout était cohérent, satisfaisant pour l'esprit. Sur le moment donc, Samba Diallo avait retrouvé la paix. La prière qu'il fit, derrière le chevalier fut une prière sereine.

Lorsqu'il l'eut achevée, il se replongea dans ses pensées. Il reprit les conclusions du chevalier et se mit à les considérer. Toujours, il éprouvait un plaisir de grande qualité à tourner dans son esprit les pensées claires lorsqu'il les atteignait, comme pour en vérifier l'aloi. Il était assuré, quel que soit le biais par lequel il les prenait, de les retrouver identiques et stables, contraignantes. Cette dureté des idées le réjouissait. En même temps, il y éprouvait son intelligence, comme le fil d'un rasoir à la lime.

« Le travail de celui qui croit se justifie de Dieu. » Cela lui semblait vrai de quelque façon qu'il le considérât. Croire... c'est reconnaître sa volonté pour une parcelle de la volonté divine. Dès lors, l'activité, créature de la volonté est créature de Dieu. À ce moment, sa pensée lui ramena en mémoire un autre souvenir, une page de Descartes. Où avait-il lu cela? Dans les *Méditations métaphysiques*, peut-être. Il ne se souvenait plus. Il se rappela seulement la pensée du maître français : le rapport entre Dieu et l'homme est d'abord un rapport de volonté à volonté. Peut-il y avoir rapport plus intime?

« Ainsi, se dit-il, les maîtres sont d'accord. Descartes, ainsi que le maître des Diallobé, ainsi que mon père, ont tous éprouvé la dureté irréductible de cette idée. La joie de Samba Diallo s'accrut de cette convergence.

« De plus, songea-t-il, procéder de Dieu, volonté à volonté, c'est reconnaître sa Loi, laquelle est une loi de justice et de concorde entre les hommes. Le travail n'est donc pas une source nécessaire de conflit entre eux... »

La nuit était tout à fait venue, à présent. Le chevalier à la dalmatique était toujours accroupi, face à l'Est, immobile. Samba Diallo, allongé sur le dos à côté de lui, ouvrait de grands yeux sur le firmament étoilé, qu'il ne voyait pas cependant.

« Il n'y a pas antagonisme entre l'ordre de la foi et l'ordre du travail. La mort de Dieu n'est pas une condition nécessaire à la survie de l'homme. »

Samba Diallo ne voyait pas le firmament scintillant, car la même paix régnait au ciel et dans son cœur. Samba Diallo n'existait pas. Il y avait des étoiles innombrables, il y avait la terre refroidie, il y avait l'ombre et il y avait leur présence simultanée.

« C'est au cœur même de cette présence que naquit la pensée, comme sur l'eau un train d'ondes autour d'un point de chute. Mais il y a ceux qui ne croient pas... »

Samba Diallo, subitement, vit le ciel. Dans un éclair, il en constata la sereine beauté.

« Il y a ceux qui ne croient pas... Nous qui croyons, nous ne pouvons abandonner nos frères qui ne croient pas. Le monde leur appartient autant qu'à nous. Le travail leur est une loi autant qu'à nous. Ils sont nos frères. Leur ignorance de Dieu, souvent, elle leur sera advenue comme un accident du travail, sur les chantiers où s'édifie notre demeure commune. Pouvons-nous les abandonner ?

« Mon Dieu, au-delà de ceux qui t'ont perdu, tous ceux, aujourd'hui comme depuis les commencements de l'histoire, qui n'ont jamais connu Ta grâce, pouvons-nous les abandonner ? Nous t'implorons de les agréer comme Toi Seul sais agréer qui Tu agrées, car ils ont édifié le monde avec nous, d'où nous pouvons, d'une pensée chaque jour moins préoccupée, Te chercher et Te saluer. Il ne faut pas que ce soit au prix de Ta Grâce que l'homme conquière sa liberté. Le faut-il ? »

Samba Diallo se dressa sur son séant, et ouvrit la bouche pour interroger le chevalier. Mais il ne l'osa pas.

– Qu'y a-t-il ? demanda son père.

– J'ai froid, dit-il. Je vais me coucher.

PARCOURS 2

CHAPITRE V

COMPRENDRE

1. Le narrateur évoque l'arrivée en nombre des Blancs sur le sol africain et le début de la colonisation en utilisant subtilement des figures d'atténuation comme l'euphémisme ou la litote, des figures d'opposition comme l'antiphrase, l'oxymore ou d'exagération comme l'hyperbole, pour souligner l'ironie du propos. Vous le montrerez en désignant les figures de style employées et en expliquant ce que veulent réellement dire les phrases ou expressions suivantes :

a. *le matin de l'Occident en Afrique noire fut constellé de sourires, de coups de canon et de verroteries brillantes.* (p. 56)

b. *Ceux qui n'avaient point d'histoire rencontraient ceux qui portaient le monde sur leurs épaules.* (p. 56)

c. *Ce fut un matin de gésine.* (p. 56)

d. *Le monde connu s'enrichissait d'une naissance qui se fit dans la boue et le sang.* (p. 56)

e. *De saisissement, les uns ne combattirent pas. Ils étaient sans passé, donc sans souvenir.* (p. 56)

f. *Ils étaient étranges. S'ils savaient tuer avec efficacité, ils savaient aussi guérir avec le même art.* (p. 56)

2. Quelle signification donnez-vous à l'échange entre Samba Diallo et Jean au sujet de la fleur coupée. (p. 63)

ÉTUDIER LES PERSONNAGES

1. Montrez que Jean et Samba partagent une même réserve naturelle et se sentent tous deux proches de la nature.

2. Montrez que M. Lacroix et le chevalier sont des personnages « nobles » au vrai sens du terme.

ANALYSER

1. Où est-il question pour la première fois d'exil et en quels termes ? Pourquoi et comment la question de l'exil concerne-t-elle les deux enfants ? Leur exil réciproque est-il de même nature ? Expliquez.
2. Jean Lacroix et son père vous semblent-ils représentatifs des Blancs qu'on rencontrait en Afrique à l'époque de la colonisation ? Le chevalier et Samba Diallo vous semblent-ils représentatifs de tous les Africains ou constituent-ils des exceptions ? Justifiez vos réponses à l'aide de citations précises du texte.
3. Lorsqu'au soleil couchant, Samba Diallo se tourne vers l'Est pour prier, l'intensité de son recueillement impressionne Jean. Il semble alors que les deux enfants, profondément troublés, entrent en communion et communient de même avec la nature. Montrez-le.

POUR ALLER PLUS LOIN

Reprenez les figures de style évoquées dans la première question de ce Parcours. Définissez chacune d'entre-elle précisément et illustrez-les d'exemples célèbres. Quelles autres figures connaissez-vous ? Proposez des regroupements par type.

ÉCRIRE

Imaginez quelles sont les pensées intimes de Jean lorsque Samba prie ou, au choix, quelles sont, au même moment, les pensées intimes de Samba. Relatez-les.

RECHERCHER

La colonisation n'a-t-elle eu que des aspects négatifs ? N'a-t-elle pas aussi permis des rencontres improbables d'êtres plus proches que leur appartenance aux peuples coloniaux et aux peuples colonisés ne le laissait prévoir ? Discutez.

CHAPITRE VI

COMPRENDRE

1. Dans la phrase : « du reste, le maître vivait encore et cependant Samba Diallo ne connaissait plus son apparence – cette apparence si dérisoire – que de façon estompée, par le souvenir » (p. 66), que signifie *dérisoire, estompée* ? Expliquez.
2. Pour quelles « raisons impérieuses » (p. 67), Samba Diallo se sent-il si fortement attaché à la Vieille Rella et au maître du Coran ? Pourquoi déteste-t-il qu'on lui rappelle la noblesse de sa famille ?
3. Un « déballage de trésors » (p. 68) : de quels trésors s'agit-il ? Pourquoi ont-ils été remis à Samba Diallo et qu'en a-t-il fait ?

ANALYSER

1. Une ellipse narrative temporelle marque le début du chapitre VI. Quelle est l'action qui n'est pas rapportée à ce moment-là mais le sera plus loin ? Où le sera-t-elle ?
2. Quelle est l'action relatée antérieurement dans le récit et qui est évoquée page 67 ?
3. Après avoir repéré les différentes parties du récit dans le chapitre, resituez-les selon l'ordre chronologique des événements.
4. *Il revécut par la pensée les circonstances* (p. 67). Le point de vue ou les pensées des personnages sont parfois introduits par des guillemets, à d'autres moments par le texte et le lexique. Montrez-le et fournissez-en des exemples variés.

La Nuit du Coran

1. Quelle signification a le rite de la Nuit du Coran ? Quelles en sont les motivations, les étapes, les circonstances ? Quelle est sa portée symbolique ? Pourquoi était-il essentiel à Samba Diallo de ne pas y déroger ?
2. Est-ce que cette obligation jouera un rôle important dans l'économie du roman ?

ÉTUDIER LES PERSONNAGES

1. Samba Diallo est à ce moment du récit très attaché aux valeurs des Diallobé, à leurs traditions, mais plus encore aux valeurs spirituelles qui lui ont été transmises par le maître du Foyer-Ardent. Montrez-le.
2. Les autres personnages (le chef des Diallobé, la Grande Royale, le chevalier) ont fait le choix ou ont accepté d'envoyer Samba Diallo suivre l'enseignement de l'école nouvelle. Montrez que cela ne se fait pas cependant sans déchirements et sans hésitations. Quels arguments sont avancés par chacun ?

POUR ALLER PLUS LOIN

La lettre reçue par le chevalier marque une rupture dans le chapitre et souligne l'opposition entre oral et écrit.

Quels sont les rôles et fonctions de l'oralité dans les sociétés traditionnelles d'Afrique de l'Ouest ?

En quoi la prédominance de l'écrit constitue-t-elle une rupture dans l'histoire des civilisations ?

ÉCRIRE

À votre avis, pourquoi le dialogue entre la Grande Royale et le chef des Diallobé après qu'ils ont découvert Samba Diallo dans le cimetière est-il éludé ? Imaginez-le.

RECHERCHER

Faites des recherches sur le soufisme, son histoire et ses principes théologiques.

Quels autres courants philosophiques irriguent l'Islam ? Quelles différences les distinguent ?

CHAPITRE VII

COMPRENDRE

1. Qu'est-ce que la métaphysique ? Pourquoi le chevalier s'en méfie-t-il ? Et pourtant Paul Lacroix et le chevalier ne se livrent-ils pas à cet exercice ? (p. 76)
2. L'expression de « drame vespéral » (p. 77) convient-elle à la description que fait le narrateur du spectacle du soleil couchant ? Montrez-le.
3. Quelles images (comparaisons et métaphores) sont-elles convoquées dans cette évocation ? Si un tableau devait représenter le spectacle du soleil cochant quelles en seraient les couleurs dominantes ?
4. *À toute parole on peut en opposer une autre* (p. 76). Que signifie cette phrase ?

ANALYSER

1. Dégagez la structure du chapitre et analysez son articulation et son achèvement.
2. Pour mettre en évidence la progression du dialogue entre le chevalier et le commandant, relevez terme à terme les arguments qu'ils s'opposent.
3. Montrez comment cette discussion est organisée par un système d'opposition binaire entre la religion et la science.
4. Le dialogue est entravé par des malentendus et des non-dits, le chevalier n'exprime pas sa pensée et Lacroix non plus. Par quels procédés est mise en évidence l'incompréhension entre deux modes de perception et d'interprétation du monde ? Comment se manifeste dans le passage un décalage entre les pensées et le discours ?
5. Abordant la question du contact des cultures, le chevalier constate que la stricte préservation est impossible et il assigne aux pays sous-développés la mission de préserver l'émotion, la spiritualité dans un monde mécanisé. Cette idée vous semble-t-elle d'actualité ?
6. Ce chapitre, éminemment philosophique, est difficile à aborder. Rédigez une courte synthèse.

ÉTUDIER LES PERSONNAGES

1. En quoi le chevalier a-t-il évolué par rapport au chapitre précédent. Montrez-le.
2. Comment comprenez-vous le regard du chevalier sur l'Occident ?
3. Quelle perception Paul Lacroix a-t-il du monde africain ?
4. Lequel de ces deux personnages vous semble le plus ouvert ?

POUR ALLER PLUS LOIN

Depuis *Le Banquet* de Platon, la dialogisation du discours est la forme par excellence de l'écriture philosophique. Recherchez quelques œuvres importantes qui recourent à cette forme et discutez-en les raisons.

ÉCRIRE

Partagez-vous la conception du monde de Paul Lacroix ou celle du chevalier ? Vous semblent-elles compatibles ou incompatibles ? Rédigez une réponse organisée.

RECHERCHER

Léopold Sédar Senghor (1906-2001) est un poète et un homme d'état sénégalais. Il a développé le concept de Civilisation de l'Universel, appelant à la fédération des traditions par-delà leurs différences. Reportez-vous au texte en annexe page xx et analysez-le pour définir plus précisément ce concept.

CHAPITRE VIII

COMPRENDRE

1. Ardo Diallobé, le premier fils du pays, a dit au maître : « La Parole, certes, peut se suspendre comme un habit, maître. La vie ne se suspend pas. » (p. 81) Le chef des Diallobé a dit au peuple : « Je suis la main qui fait. Le corps et la tête, c'est vous, gens des Diallobé. Dites et je ferai. » (p. 81) Ces phrases sont des sentences qui organisent, depuis des temps immémoriaux, la vie du peuple Diallobé. Que signifient-elles ? À quoi servent-elles ?

2. Qu'est-ce qu'une redingote ? Pourquoi le fou en porte-t-il une sale et élimée alors que ses boubous sont immaculés ?

3. « Alentour, il n'y avait aucun pied. Sur la carapace dure, rien que le claquement d'un millier de coques dures. L'homme n'avait-il plus de pieds de chair ? Une femme passa, dont la chair rose des mollets se durcissait monstrueusement en deux noires conques terminales, à ras d'asphalte. » (p. 86) Comment interprétez-vous cet extrait ? Trouvez d'autres exemples identiques que vous interprèterez de même.

ANALYSER

1. Dans la plus grande partie du chapitre, le narrateur donne la parole au fou qui raconte au maître ce qu'il a vu et vécu au pays des Blancs. Comment progresse cette narration ?

2. Auparavant, il était montré pourquoi le fou fut un jour affublé de ce surnom qu'il conserva par la suite. Rappelez les faits et demandez-vous si la description que fait le fou de l'univers des Blancs ne contiendrait pas des éléments de vérité ?

3. La santé du maître du Foyer-Ardent décline. Montrez-le. En quoi cela constitue-t-il une étape importante du récit ?

4. À quel moment précisément le fou commence-t-il à sombrer dans la folie ? Comment cette folie se manifeste-t-elle ? S'agit-il d'hallucinations ou d'interprétations oniriques ou erronées de la réalité ?

ÉTUDIER LES PERSONNAGES

1. Quels liens particuliers unissent le maître et le fou ?
2. Le maître fait-il preuve seulement de compassion envers un déshérité ? Justifiez.

POUR ALLER PLUS LOIN

La figure du fou constitue un motif littéraire utilisé par les plus grands auteurs (Cervantès dans *Don Quichotte* ou William Shakespeare dans *Le Roi Lear*). Cherchez d'autres œuvres, anciennes ou contemporaines, qui utilisent ce motif.

Quelles fonctions vous semble remplir ce personnage ? Interrogez-vous notamment sur le parallèle entre le fou et l'artiste dans leur rapport au réel.

ÉCRIRE

Réécrivez, de façon plus réaliste, ce qu'a vu le fou le matin de son débarquement sur le sol français.

RECHERCHER

Le fou a participé « à la guerre des Blancs » (p. 83).

Faites des recherches sur la participation des populations colonisées aux guerres mondiales, sur la manière dont elles furent enrôlées, sur la nature de leur engagement.

Quelles conséquences cette guerre eut-elle sur l'accès à l'indépendance ?

CHAPITRE IX

COMPRENDRE

1. « Les prières profondes doivent certainement incinérer dans l'homme toute exubérance profane de vie. » (p. 89) Expliquez les mots : *incinérer, profane,* et l'expression : *Mon père ne vit pas, il prie...* (p. 89)

2. « [...] il est des pays où de grandes masses d'hommes sont longuement aliénées de Dieu. Peut-être... Peut-être est-ce le travail qui fait l'Occident de plus en plus athée... Idée curieuse... » (p. 90) Expliquez : aliénées.

3. « Les hommes d'Occident connaissent de moins en moins le miracle et la grâce. » (p. 90) Expliquez *miracle* et *grâce* dans ce contexte.

4. Qu'est-ce qu'une période de déréliction (p. 91) ?

5. « Il n'y a pas d'antagonisme entre l'ordre de la foi et l'ordre du travail. » (p. 96) Expliquez *antagonisme* puis, plus loin, myopie *méthodologique des savants.*

ANALYSER

1. Le chapitre rend compte des trois temps nécessaires à l'apprentissage de la philosophie : le temps de la lecture, celui de la discussion, celui de la réflexion. Montrez-le. Dans quel ordre ces trois temps se présentent-ils ?

2. Ces temps sont cependant rythmés par des temps de prières, vitaux pour le chevalier. À quels moments précisément ? Montrez le rôle de ces interruptions dans l'organisation du chapitre.

3. Samba Diallo et son père parlent de philosophie et d'abord de Pascal dont le chevalier dit : « C'est certainement l'homme d'Occident le plus rassurant. Mais, méfie-toi même de lui. Il avait douté. Lui aussi a connu l'exil. » Le doute ne s'insinuerait-il pas déjà dans l'esprit de Samba Diallo ? Montrez-le.

ÉTUDIER LES PERSONNAGES

1. Le chevalier est un noble et un sage, terme en quelque sorte synonyme d'intellectuel. Quels traits physiques et moraux le prouvent ?
2. Lorsque Samba Diallo constate en lui un début de transformation, il y voit un progrès : « C'est en tout cas une idée évoluée, je veux dire qui marque un progrès de précision sur mon état d'esprit antérieur : elle distingue, elle spécifie. » N'est-ce pas aussi le début d'une plongée dans une période de doute et d'angoisse ?

POUR ALLER PLUS LOIN

Le chapitre s'achève sur cette parole de Samba Diallo : « J'ai froid. Je vais me coucher. » À votre avis, quelle est la portée de ce passage ? Que peut-il préfigurer ? Quel genre littéraire se caractérise notamment par l'inéluctabilité du destin de son héros ? Peut-on rapprocher *L'Aventure ambiguë* de ce genre ?

ÉCRIRE

Page 91, le chevalier énumère les raisons qu'a, d'après lui, l'homme de travailler, ce que Samba Diallo développe ainsi : « – Donc, on peut travailler par nécessité [...] ne se justifient pas par cette visée. » (p. 92) Rédigez le commentaire composé de ce paragraphe.

RECHERCHER

1. Cherchez une biographie de Pascal et mettez-la en relation avec ce que disent de lui Samba Diallo et le chevalier. Renseignez-vous sur *les Pensées* de Pascal et intéressez-vous plus particulièrement à ce que Pascal entend par « divertissement » et quels en sont, selon lui, les effets.
2. D'autres philosophes occidentaux sont cités dans ce chapitre (Descartes, Nietzsche). Informez-vous sur ces auteurs et sur les caractéristiques de leur philosophie.

SYNTHÈSE DES CHAPITRES V À IX

Reproduisez et complétez le tableau ci-dessous. Proposez une analyse de la progression de cette partie du roman en faisant des rapprochements éclairants entre les chapitres.

CHAPITRE	V	VI	VII	VIII	IX
TITRE / CONTENU	Grande clameur au réveil sur le continent noir À l'école coloniale Le début d'une amitié.				
TEMPS / LIEUX	À l'époque de l'école coloniale, dans la classe de M. N'Diaye, puis à la Résidence du Cercle, au bureau de M. Lacroix À l'extérieur de la Résidence				
PERSONNAGES	Samba Diallo ; M. N'Diaye, l'instituteur ; la famille Lacroix : M. Lacroix, Jean et Georgette, les enfants ; les élèves parmi lesquels Ammar Lô ; le chevalier, père de Samba.				
ACTIONS	• Dans la classe de M. N'Diaye, Jean remarque l'aura de Samba Diallo. • Le lendemain, dans le bureau de M. Lacroix, Jean rencontre le père de Samba Diallo. • Les deux enfants échangent sur leur situation réciproque. • Prière de Samba Diallo. • Le chevalier et son fils accompagnent Jean jusqu'à son domicile. • Jean a du mal à trouver le sommeil.				
DISCOURS DOMINANT	Descriptif, narratif, dialogal.				

DEUXIÈME PARTIE

Lorsque Samba Diallo pénétra dans le salon, tout le monde se leva d'un même mouvement. Lucienne vint à sa rencontre, souriante et rose, la main tendue.

— Socrate a-t-il enfin bu la ciguë ? s'enquit-elle, un sourire dans la voix.

— Non, répondit Samba Diallo en lui rendant son sourire. Le vaisseau sacré n'est pas encore revenu de Délos.

Lucienne expliqua, s'adressant à ses parents :

— Samba Diallo prépare pour notre groupe d'études un travail sur le *Phédon*, et ce travail le passionne à un point tel que j'ai craint un moment qu'il n'oublie de venir.

Puis, se tournant vers Samba Diallo, elle présenta sa famille : son père, sa mère et son cousin Pierre, étudiant en médecine.

— J'espère, monsieur, que vous m'excuserez de vous recevoir ainsi, en toute simplicité, dit Mme Martial. Lucienne et moi voulons que vous vous sentiez tout à fait à l'aise ici, comme chez vous.

— Je vous remercie de votre prévenance, madame, et de votre invitation.

— Ajoutez donc que vous ne répondez ainsi que par politesse, s'écria le père de Lucienne. Ma femme s'imagine que votre milieu africain ne se distingue du nôtre que par une moindre complexité.

Derrière les verres correcteurs, le visage de l'homme pétillait de malice.

Paul Martial était pasteur. Il portait sur un corps robuste, presque massif, une tête qui eût paru vieillie précocement, n'eût été la fraîcheur du regard derrière les lunettes. Sous une chevelure grisonnante et drue, éclatait la blancheur d'un front large qui rappela à Samba Diallo, en dépit de la différence de couleur, le front, à la peau racornie par les longues prosternations, du maître des Diallobé. Le long nez mince surplombait une bouche douloureuse. À la sécheresse des lèvres, à leur crispation au moment de parler, Samba Diallo reconnut l'inaptitude de cette bouche à prononcer des paroles futiles. Le front cependant et les yeux éclataient de sérénité, comme pour envelopper de clarté et anéantir dans la lumière le chaos qu'évoquerait la bouche terrible. Mais, en ce moment même, l'homme s'efforçait à la gaieté et paraissait ravi de la confusion où il voyait que sa remarque avait plongé sa femme.

— Toi, pour faire dire aux autres tes propres pensées... protesta Mme Martial.

— Bien envoyé, ma tante ! dit Pierre. Vous savez – il s'adressait maintenant à Samba Diallo – vous avez devant vous une belle incarnation de ce que vous autres, philosophes, appelez, je crois, un couple dialectique. Vous sentez-vous une vocation d'arbitre ?

M. et Mme Martial se regardèrent d'un air de comique ahurissement.

– Ma pauvre Marguerite, tu as entendu ? Nous sommes un couple machinchouette...

Ils firent mine de se jeter dans les bras l'un de l'autre et tout le monde éclata de rire.

Lucienne cependant les avait fait asseoir et était allée chercher des boissons. Lorsqu'elle présenta à Samba Diallo son verre, il tendit le bras pour le prendre, mais interrompit son geste à mi-chemin.

— Oh ! Lucienne, dit-il, je suis vraiment confus. J'ai oublié de te dire que je ne bois pas d'alcool. Mais d'ailleurs, ne te dérange pas, je n'ai pas soif.

— Mais si, mais si, intervint Mme Martial. Donne-lui donc un jus de fruits, Lucienne. Il y en a. Mais non, ne protestez pas !

Samba Diallo était atterré. Il ne comptait plus les occasions, depuis son arrivée en France, où le refus d'un verre offert avait soudain failli gâcher absurdement les fragiles moments de ses premiers contacts avec les gens.

– Comment, vous ne buvez pas ? Vous n'avez jamais bu la moindre goutte d'alcool, demanda Pierre, l'air ahuri.

– Non, s'excusa Samba Diallo. Ma religion l'interdit. Je suis musulman.

– Mais, je connais bien des musulmans qui boivent, moi, des Arabes, des Noirs...

– Oui, je sais.

M. Martial considéra Samba Diallo. « Comme il a prononcé cela, pensa-t-il. Il a fait claquer sa chahâda[1], comme un étendard au vent. »

Lucienne et sa mère vaquaient entre la cuisine et la table. Samba Diallo, qui sentait les regards de Pierre et du pasteur fixés sur lui, saisit son verre de jus de fruits et y but, pour se donner une contenance. Il entendit que le pasteur s'adressait à lui.

– Lucienne a souvent parlé de vous à la maison. Elle a été très impressionnée par la passion et le talent avec lesquels vous menez vos études de philosophie.

– Votre fille est trop bonne, monsieur. Elle aura trouvé cette façon élogieuse pour moi de vous dire quel mal considérable me donnent ces études.

– Vous vous destinez donc à l'enseignement ?

– Peut-être enseignerai-je en effet. Tout dépendra de ce qu'il sera advenu de moi au bout de tout cela. Vous savez, notre sort à nous autres, étudiants noirs, est un peu celui de l'estafette. Nous ne savons pas, au moment de partir de chez nous, si nous reviendrons jamais.

– Et de quoi dépend ce retour ? demanda Pierre.

– Il arrive que nous soyons capturés au bout de notre itinéraire, vaincus par notre aventure même. Il nous apparaît

---

1 Formule de la profession de foi musulmane.

soudain que, tout au long de notre cheminement, nous n'avons pas cessé de nous métamorphoser, et que nous voilà devenus autres. Quelquefois, la métamorphose ne s'achève pas, elle nous installe dans l'hybride et nous y laisse. Alors, nous nous cachons, remplis de honte.

— Je ne crois pas que vous éprouverez jamais cette honte, quant à vous, ni que vous vous perdrez, dit le pasteur, en souriant avec beaucoup de douceur. Je crois que vous êtes de ceux qui reviennent toujours aux sources. N'est-ce pas d'ailleurs cet attrait des sources qui vous a orienté vers la philosophie ?

Samba Diallo hésita avant de répondre.

— Je ne sais pas, dit-il finalement. Quand j'y réfléchis maintenant, je ne puis m'empêcher de penser qu'il y a eu aussi un peu de l'attrait morbide du péril. J'ai choisi l'itinéraire le plus susceptible de me perdre.

— Pourquoi ? interrogea encore Pierre. Est-ce par volonté de défi ?

Ce fut le pasteur qui répondit, s'adressant à Samba Diallo.

— Non, je crois que c'est par honnêteté. N'est-ce pas ? Vous avez choisi de nous connaître par ce qui vous est apparu le plus caractéristique, le plus fondamental. Mais, je voulais vous demander : ce que vous avez pu percevoir de l'histoire de notre pensée vous est-il apparu radicalement étranger, ou bien vous êtes-vous un peu reconnu, tout de même ?

Samba Diallo n'eut pas une hésitation, comme s'il eût déjà longuement réfléchi à cette question.

— Il m'a semblé que cette histoire avait subi un accident qui l'a gauchie et, finalement, sortie de son projet. Est-ce que vous me comprenez ? Au fond, le projet de Socrate ne me paraît pas différent de celui de saint Augustin, bien qu'il y ait eu le Christ entre eux. Ce projet est le même, jusqu'à Pascal. C'est encore le projet de toute la pensée non occidentale.

– Quel est-il ? demanda Pierre.

– Je ne sais pas, dit Samba Diallo. Mais ne sentez-vous pas comme le projet philosophique n'est plus tout à fait le même chez Pascal et chez Descartes déjà ? Non qu'ils se soient préoccupés de problèmes différents, mais qu'ils s'en soient occupés différemment. Ce n'est pas le mystère qui a changé, mais les questions qui lui sont posées et les révélations qu'on en attend. Descartes est plus parcimonieux dans sa quête ; si, grâce à cette modestie et aussi à sa méthode, il obtient plus de réponses, ce qu'il apporte nous concerne moins aussi, et nous est de peu de secours. Ne croyez-vous pas ?

Pierre ne répondit que par une moue dubitative. Le pasteur sourit.

– Cramponnez-vous ferme à votre opinion, dit-il, même s'il vous semble que vous ne l'étayez pas suffisamment. Elle constitue bien une ligne de démarcation, et ceux qui sont de votre bord diminuent chaque jour. De plus, ceux d'en face leur donnent mauvaise conscience par leur assurance et leur succès dans l'accumulation des réponses partielles.

Mme Martial entra et appela les hommes à table.

Le pasteur, qui s'apprêtait à bénir le repas, nota que Samba Diallo l'avait précédé dans la prière. Le jeune homme s'était recueilli pendant un bref instant et avait murmuré imperceptiblement.

L'on commença de manger. Lucienne se tourna vers Samba Diallo.

– Tu sais, papa a failli commencer son ministère en Afrique. Il ne te l'a pas encore dit ?

– Ah ? s'enquit Samba Diallo en regardant tour à tour le pasteur et sa fille.

– C'est bien vieux tout ça, répondit M. Martial avec une pointe de mélancolie. Je rêvais de fonder une mission qui eût été en Afrique, à la découverte de pays où nul militaire, nul médecin, bon ou mauvais, ne nous eût précédés. Nous

nous serions présentés, munis du seul livre de Dieu. Notre tâche étant d'évangéliser, j'eusse évité d'emporter jusqu'au médicament le moins encombrant et le plus utile. Je voulais que la révélation dont nous aurions été les missionnaires ne dût rien qu'à elle-même, et fût littéralement, pour nous, une Imitation de Jésus-Christ. Du reste, je n'en attendais pas seulement l'édification de ceux que nous aurions convertis. J'escomptais qu'avec l'aide de Dieu, l'exemple de votre foi eût ravivé la nôtre, que l'Église noire que nous aurions suscitée eût très rapidement pris notre relais dans le combat pour la foi... Quand je m'ouvris de ce projet à mes supérieurs, ils n'eurent aucune peine à m'en montrer la naïveté.

Lorsqu'il se tut, Samba Diallo eut l'impression qu'il s'était hâté d'abréger l'évocation de son vieux rêve. « Il ne m'a pas tout dit, pensat-il. Ni que ses supérieurs ne l'ont pas convaincu, bien qu'il se soit soumis, ni quel grand débat a dû le diviser de lui-même. »

– Je me dis, pour ma part, qu'il est infiniment regrettable qu'on ne vous ait pas suivi, dit-il au pasteur.

– Hein ? Crois-tu vraiment qu'il était plus urgent de vous envoyer des pasteurs que des médecins ? demanda Lucienne.

– Oui, si tu me proposes ainsi le choix entre la foi et la santé du corps, répondit Samba Diallo.

– Il faut se féliciter qu'il ne s'agisse là que d'une hypothèse, dit Lucienne. Je suis sûre que si le destin pouvait te proposer ce choix...

– Il me l'a proposé, il me le propose encore présentement. Mon pays se meurt de ne pas oser trancher cette alternative.

– À mon avis, c'est proprement insensé !

– Lucienne, voyons ! intervint Mme Martial.

Lucienne était rose d'exaspération et de confusion tout à la fois. Elle se tournait alternativement vers le pasteur et vers Samba Diallo, comme indécise entre les deux. Il semblait que le même sentiment animât les deux hommes. Dans leurs yeux, sur leurs lèvres, il y avait le même air d'affectueuse réprobation.

– Je n'ai pas voulu mettre en cause la valeur de la foi, dit enfin Lucienne d'une voix rassérénée. J'ai seulement voulu dire que la possession de Dieu ne devait coûter aucune de ses chances à l'homme.

– Je sais bien, dit Samba Diallo. Le scandale de ce choix est difficilement admissible. Il existe cependant... et me paraît être un produit de votre histoire.

Puis il ajouta avec, sembla-t-il, un regain d'âpreté :

– Pour ma part, si la direction de mon pays m'incombait, je n'admettrais vos médecins et vos ingénieurs qu'avec beaucoup de réticence, et je ne sais pas si, à la première rencontre, je ne les aurais pas combattus.

– Sache du moins en quelle compagnie tu te serais trouvé, dans ce combat, dit Lucienne. Ta cause est défendable, peut-être ; le malheur est que ceux qui la défendent n'ont pas toujours votre pureté à papa et à toi. Ils se parent de cette cause, pour couvrir des desseins rétrogrades.

Samba Diallo eut l'air triste, soudain.

Ayant, d'un geste lent, achevé de ceindre la tête de Demba du turban blanc, le maître des Diallobé entreprit interminablement de s'accroupir. D'une main, il s'appuya sur un genou, pendant que la main droite, paume ouverte, descendait en tremblant vers le sol. Quand elle y eut atteint, la main gauche suivit. L'assistance, immobile, observait.

Nul au monde, à coup sûr, ne s'était, son existence durant accroupi autant de fois que le maître des Diallobé, car nul n'avait prié autant que lui. Le grand âge et les rhumatismes avaient fait de ce geste, chaque jour encore vingt fois répété, cette gymnastique grotesque et pénible que l'assistance émue suivait en haletant.

L'homme entreprit de plier ses genoux, afin de leur faire toucher le sol. Avec eux, toute la charpente du corps se mit à craquer. Soudain, il s'écroula et demeura immobile, le temps de reprendre son souffle. D'un coin de l'assistance monta un faible sanglot, vite retenu.

Le vieillard, étendu à terre sur le ventre, se roula sur lui-même, de manière à reposer sur le dos et marqua une nouvelle pause pour souffler. Prenant appui sur ses coudes repliés, il redressa le buste et s'assit enfin. Un soupir monta de l'assistance, qui couvrit celui du maître, puis le silence s'établit.

– Je ne suis rien, dit le maître haletant. Je vous supplie de sentir avec moi, comme moi, que je ne suis rien. Seulement un écho minuscule qui prétendit, le temps de sa durée, se gonfler de la Parole. Prétention ridicule. Ma voix est un mince filet qu'étouffe ce qui n'est pas ma voix. La Parole dont prétendit se gonfler ma voix est l'universel débordement. Ma voix ne peut pas faire entendre son bruit misérable, que déjà la durée par deux fois ne l'ait bouchée et emprisonnée. L'être est là, avant qu'elle s'élève, qui est intact, après qu'elle s'est tue. Sentez-vous comme je suis l'écho vain ?

– Nous le sentons, dit le fou, en réprimant un nouveau sanglot.

– La Parole tisse ce qui est plus intimement que la lumière ne tisse le jour. La Parole déborde votre destin, du côté du projet, du côté de l'acte, étant les trois de toute éternité. Je l'adore.

– Maître, ton propos nous dépasse, dit le forgeron.

– Je ne vous parlais pas.

– Parle-nous.

Le maître considéra l'homme, que son regard parut percer.

– Un matin donc, tu te réveilles, lui dit-il. Le flot obscur a reflué loin, autour d'un dur surgissement ; c'est bien toi, nul autre à ta place, qui es éveillé. Cette sourde inquiétude qui gonfle en même temps que s'installe la lumière, c'est toi qu'elle emplit : cet homme que terrifie le souvenir de sa mort, c'est toi – qui l'écartes et te lèves. Tu crois en Dieu. Tu te précipites et pries. Cette famille dépourvue de nourriture et certaine de manger aujourd'hui, c'est la tienne qui attend que tu la nourrisses. Tu la hais, tu l'aimes aussi. Voici que tu lui souris et la couves, tu te lèves et sors dans la rue ; ceux que tu rencontres sont à ton image ; tu leur souris, ils te sourient, tu les mords, ils te mordent, tu les aimes et tu les détestes, tu les approches puis tu t'éloignes, tu les vaincs et ils te battent : tu reviens chez toi, oblitéré et chargé de nourriture. Ta famille mange, tu souris, elle sourit, contente, tu te fâches : il faut repartir. Cette famille dépourvue de nourriture et certaine de manger, c'est la tienne qui attend que tu la nourrisses. Cet homme qu'agresse le souvenir de sa mort, c'est toi – qui l'écartes et te lèves. Tu crois en Dieu, tu te précipites et pries… De qui ai-je parlé ?

– De moi, maître, dit le forgeron atterré.

– Non, dit le maître, c'est de moi.

Le fou éclata derechef en sanglots, éhontés et puissants.

***

« Un homme fut-il jamais aussi familier des sommets, que ce vieillard qui pleure son échec ? songeait Deroba. Il a le vertige et me cède le pas. Il croit son vertige dû à son grand âge. Il a raison. Ma jeunesse se permettra plus de témérité ; elle est plus obtuse, et c'est bien ainsi. Il hésite, je trancherai. Mais s'agit-il bien d'âge ? Samba Diallo, à mon âge, lui aussi, hésiterait, c'est sûr. Donc, je suis obtus. Mais je trancherai. »

« Il est bien que ce jeune homme remplace le maître, se félicita la Grande Royale. Il n'a pas, il n'aura jamais ce goût du vieil homme qui préfère les valeurs traditionnelles, même condamnées et mourantes, aux valeurs triomphantes qui nous assaillent. Ce jeune homme est téméraire. Le sens du sacré ne le paralyse pas. C'est un cuistre. Mieux que tout autre, il saura accueillir le monde nouveau. Mais auparavant, le maître aura vécu ainsi que mon frère. Ainsi que mon jeune cousin... oui Samba Diallo aussi aura vécu, spirituellement. Pauvre enfant, qui eût dû naître contemporain de ses ancêtres. Je crois qu'il en eût été le guide. Aujourd'hui... Aujourd'hui... »

« Pourquoi a-t-il fallu que je le laisse partir, se demanda le chef des Diallobé. Il a le même âge que ce jeune homme qu'on vient de faire maître des Diallobé. Je l'eusse nommé chef des Diallobé, à ma place, à moins que le maître ne l'eût choisi pour porter son turban. Il eût contenu le mouvement des Diallobé sur la voie étroite qui serpente entre leur passé et... ces champs nouveaux, où ils veulent paître et s'ébattre et se perdre. Au lieu qu'aujourd'hui, me voici en face de ce jeune homme, seul avec lui, abandonné de mon vieux compagnon et maître. »

Le vieux compagnon riait, en attendant. Le chef des Diallobé le regarda, curieux de savoir quelle nouvelle saute l'amusait, quand les larmes qu'il avait arrachées au fou s'étaient à peine séchées. C'était précisément le fou qui le mettait en joie. Sanglé dans sa tunique militaire, l'insensé était agenouillé en face du maître et lui parlait de près, en lui tenant le bras. Le même rire distendait leurs visages, très proches l'un de l'autre, comme s'ils eussent cherché à n'être entendus de personne autour d'eux.

– Voulez-vous dire la prière, maintenant, maître ? demanda le chef.

Le vieil homme écarta doucement le fou, fit face à Demba, tendit les bras dans un geste de prière. Toute l'assistance suivit.

À la fin de la prière, Demba déclara qu'à partir du lendemain, il modifierait les horaires du foyer. Ainsi, tous les parents qui le voudraient pourraient envoyer leurs fils à l'école étrangère. « Car, conclut-il, le Prophète – la bénédiction soit sur lui – a dit : Vous irez chercher la Science, s'il le faut, jusqu'en Chine. »

***

Du premier coup d'œil, Samba Diallo reconnut l'écriture du chef des Diallobé. Il s'empara de la lettre et grimpa les escaliers en courant.

« Comment l'homme, dont le sort est de vieillir, puis de mourir, peut-il prétendre à gouverner – qui est l'art, à chaque instant, d'avoir l'âge et les désirs de la génération qui change et ne vieillit pas ? » avait écrit son cousin. « Nul autant que moi n'a connu le pays des Diallobé. Ses désirs naissaient en moi avant même qu'il les pressentît. J'étais l'éminence qui accueille et réfléchit les premiers rayons venus des profondeurs du monde. Toujours je précédais et n'en éprouvais ni inquiétude ni fatuité. En même temps, j'étais l'arrière-garde. Je n'étais jamais rassasié, que les désirs du dernier des Diallobé n'eussent été comblés. Les temps ont bien vécu, où je contenais ce pays, sans que nul de nous débordât l'autre. »

Il était lui-même, il était le pays, et cette unité n'était fissurée d'aucune division, pensa Samba Diallo en s'arrêtant de lire. Ô mon pays, dans le cercle de tes frontières, l'un et le multiple s'accouplaient hier encore, je savais bien que je ne l'ai pas rêvé ! Le chef et la multitude, le pouvoir et l'obéissance étaient du même bord et cousins issus de germains. Le savoir et la foi coulaient de source commune et grossissaient la même mer. À l'intérieur de tes frontières, il était donné encore de pénétrer le monde par le grand portail. J'ai été le souverain qui, d'un pas de maître, pouvait franchir le seuil de toute unité, pénétrer au cœur intime de l'être, l'envahir et faire un avec lui, sans que nul de nous débordât l'autre. Chef des Diallobé, pourquoi a-t-il fallu que je franchisse la frontière de ton royaume ?

« Aujourd'hui, poursuivait le chef, tout fuit et s'écroule autour de mon immobilité, comme la mer le long du récif. Je ne suis plus le repère, mais l'obstacle que les hommes contournent pour ne pas l'abattre. Si tu pouvais voir de quels regards ils m'épient ! Ils sont pleins de sollicitude et de pitié ; de brutale détermination aussi. L'heure sonne où je choisirais de mourir, si j'eusse disposé de ce choix.

« Hélas, je ne puis même pas faire comme ton vieux maître, dépouiller cette partie de moi-même qui appartient aux hommes et la leur laisser entre les mains, en me retirant.

« Un soir, il est venu à moi, selon cette vieille habitude que tu lui connais. Le fou, qui ne le quitte plus, lui tenait le bras et tous les deux riaient comme des enfants, contents d'être ensemble. « Voici que la vallée va prendre congé de la montagne », dit le fou, et je me sentis tout triste, soudain, comme jamais depuis la mort de mon père. « La vallée profonde, où clapote le cœur du monde... » « Chut, tais-toi, l'interrompit le maître. Tu m'avais promis d'être sage. Si tu ne l'es pas, nous allons repartir. » Le fou se tut.

« Je ne quittais pas le maître du regard. Il n'était pas triste.

« – Demain, me dit-il, je remettrai le turban à Demba, s'il plaît à Dieu.

« – Il ne peut en résulter que du bien, si vous l'avez décidé, acquiesçai-je.

« – Avez-vous perçu comme je suis bête ? s'enquit-il. J'ai, depuis longtemps, senti que j'étais le seul obstacle au bonheur de ce pays. J'ai feint de n'être pas cet obstacle. J'espérais – mais cela, je le sais maintenant seulement – que le pays me passerait dessus, de sorte qu'il obtînt son bonheur sans que je perdisse ma bonne conscience.

« – Vous êtes injuste pour vous-même.

« – Qu'en savez-vous ?

« – Ce n'est pas vous-même que vous défendiez, mais Dieu.

« – Que vient-Il faire ici ? Vous voyez, vous-même je vous ai abusé. Dieu fut ma grande trouvaille. Je suggérais, par mon attitude, que c'est lui que je défendais. Mais, je vous le demande, peut-on défendre Dieu des hommes ? Qui le peut ? Qui a ce droit ? À qui Dieu appartient-il ? Qui n'a pas le droit de l'aimer ou de le bafouer ? Songez-y, chef des Diallobé, la liberté d'aimer ou de haïr Dieu est l'ultime don de Dieu, que nul ne peut enlever à l'homme.

« – Maître, je parle de ces hommes qui habitent le pays des Diallobé. Ils sont, sous nos yeux, comme des enfants. Nous avons le devoir de leur prendre leur liberté, pour en user à leur avantage.

« – Vous. Rien n'est plus vrai. Pas moi.

« Il se tut longuement. Quand il reparla, ce fut avec un regain de tristesse.

« – J'ai pensé cette chose infâme : que Dieu pouvait être un obstacle au bonheur des hommes. Comme c'est bête, mon Dieu, comme j'ai été bête ! La vérité est qu'il s'est toujours trouvé des malins pour se servir de Toi. T'offrant et Te refusant, de même que si Tu leur eusses appartenu, dans le dessein de maintenir d'autres hommes sous leur obéissance. Chef des Diallobé, songez qu'il arrive que la révolte de la multitude contre ces malins prenne la signification d'une révolte contre Lui. Quand, au contraire, elle est la plus sainte, de toutes les guerres saintes !

« Longtemps, il me parla ainsi, balayant toutes mes objections, pleurant sur sa turpitude. Dans son coin, le fou s'était endormi... »

Samba Diallo laissa tomber la lettre.

« Et puis non, pensa-t-il. Que me font leurs problèmes ? J'ai le droit de faire comme ce vieil homme, de me retirer de l'arène où s'enchevêtrent leurs désirs, leurs infirmités, leur chair, de me retirer au-dedans de moi-même. Après tout, je ne suis que moi-même. Je n'ai que moi. »

Il se leva, s'apprêta et se mit au lit. Tard dans la nuit, il s'aperçut qu'il avait oublié de faire sa prière du soir, et dut se faire violence pour se relever et prier.

***

« Mon Dieu, Tu ne Te souviens donc pas ? Je suis bien cette âme que Tu faisais pleurer en l'emplissant. Je t'en supplie, ne fais pas que je devienne l'ustensile que je sens qui s'évide déjà. Je ne t'ai pas demandé de faire éclore cette lueur qui, un jour, perçut qu'elle ardait. Tu m'as voulu. Tu ne saurais m'oublier comme cela. Je n'accepterais pas, seul de nous deux, de pâtir de Ton éloignement...

« Souviens-Toi, comme tu nourrissais mon existence de la tienne. Ainsi, le temps est nourri de la durée. Je te sentais la mer profonde d'où s'épandait ma pensée et en même temps qu'elle, tout. Par toi, j'étais le même flot que tout.

« Ils disent que l'être est écartelé de néant, est un archipel dont les îles ne se tiennent pas par en-dessous, noyées qu'elles sont de néant. Ils disent que la mer, qui est telle que tout ce qui n'est pas elle y flotte, c'est le néant. Ils disent que la vérité, c'est le néant, et l'être, avatar multiple.

« Et toi, tu bénis leur errement. Tu lui attaches le succès comme l'endroit à l'envers. Sous le flot de leur mensonge qui s'étend, la richesse cristallise ses gemmes. Ta vérité ne pèse plus très lourd, mon Dieu... »

Le matin trouva Samba Diallo accroupi tout éveillé sur le tapis des prières, les membres noués de douleur.

Il songea qu'il fallait qu'il écrive à son père.

Juin tirait à sa fin, et déjà il faisait sur Paris une chaleur accablante.

Samba Diallo, lentement, descendait le boulevard Saint-Michel. Il marchait dans un état de demi-somnolence, engourdi par la chaleur. Un filet ténu de pensée claire filtrait avec difficulté de la lourde nappe de ses sensations, comme un courant d'eau fraîche à travers la masse inerte d'une mer tiède. Samba Diallo s'efforçait de concentrer ce qui lui restait d'attention au point de résurgence de la petite lueur.

« Ces rues sont nues, percevait-il. Non, elles ne sont pas vides. On y rencontre des objets de chair, ainsi que des objets de fer. À part cela, elles sont vides. Ah ! on y rencontre aussi des événements. Leur consécution encombre le temps, comme les objets encombrent la rue. Le temps est obstrué par leur enchevêtrement mécanique. On ne perçoit pas le fond du temps et son courant lent. Je marche. Un pied devant, un pied derrière, un pied devant, un pied derrière, un... deux... un... deux... Non ! Il ne faut pas que je pense : un... deux... un... deux... Il faut que je pense à autre chose. Un... deux... un... deux... un... Malte Laurids Brigge... Tiens ! Oui... je suis Malte Laurids Brigge. Comme lui, je descends le boulevard Saint-Michel. Il n'y a rien... que moi... que mon corps, veux-je dire. Je le touche, je touche ma cuisse à travers la poche de mon pantalon. Je pense à mon gros orteil droit. Il n'y a rien, que mon gros orteil droit. Sinon, leur rue est vide, leur temps encombré, leur âme ensablée là-dessous, sous mon gros orteil droit et sous les événements et sous les objets de chair et les objets de fer... les objets de chair et... »

Soudain, il eut conscience d'un obstacle, là, devant son corps. Il voulut contourner. L'obstacle était opiniâtre. Samba Diallo sut qu'on sollicitait son attention.

– Bonjour, monsieur, dit l'obstacle.

Ce fut comme si cette voix le réveillait. Devant Samba

Diallo se tenait un vieux nègre. Il devait avoir la même taille que le jeune homme, malgré son grand âge. Il portait de vieux habits et le col de sa chemise était d'une propreté douteuse. Un béret noir coupait sa chevelure blanche et ses bords paraissaient ainsi enfoncés dans la calotte crânienne. Il tenait une canne blanche, le regard de Samba Diallo s'attacha à ses yeux pour voir s'il était aveugle. L'homme ne l'était pas, mais une taie blanche recouvrait toute la surface centrale de l'œil gauche. L'œil droit était sans anomalie, bien qu'il présentât des stigmates de fatigue. En souriant, la bouche découvrit de vieilles dents jaunes, espacées et plantées de guingois.

— Bonjour, monsieur, répondit Samba Diallo, tout à fait réveillé maintenant et qui en éprouvait un grand bien-être.

— Excusez un vieil homme de vous arrêter ainsi, sans façon. Mais on est compatriotes, n'est-ce pas ? De quel pays êtes-vous donc ?

— Du pays des Diallobé.

— Ah, d'Afrique Noire ! J'ai connu bien des vôtres, à commencer par vos deux premiers députés, Blaise Diagne et Galandou Diouf, qui étaient Sénégalais, je crois. Mais, voulez-vous que nous nous attablions quelque part, si du moins vous n'êtes pas pressé ?

Ils s'installèrent à la terrasse d'un café.

— Je m'appelle Pierre-Louis. J'ai été magistrat et j'ai servi un peu partout, chez vous, pendant vingt ans. La retraite est venue ensuite, à point nommé. Je commençais à avoir assez des emmerdements du système. Alors, je suis descendu du siège pour aller de l'autre côté du barreau. Douze années durant, j'ai défendu mes compatriotes gabonais, camerounais, contre l'État et les colons français. De la merde, ces colons...

— D'où êtes-vous exactement ?

— Je ne sais pas. Mon arrière-grand-père s'appelait Mohammed Kati – oui, Kati, comme l'auteur du *Tarikh El Fettâch* – et il était de la même région que son grand homonyme, du cœur même du vieil empire du Mali. Mon arrière-grand-père a été fait esclave et envoyé aux Iles où il fut rebaptisé Pierre-Louis Kati. Il a supprimé le nom de Kati pour ne pas le déshonorer et s'est appelé Pierre-Louis tout court. Que boirez-vous donc? demanda-t-il à Samba Diallo.

Quand le garçon se fut éloigné pour aller chercher les commandes, Pierre-Louis revint à Samba Diallo.

– Que disais-je donc? Ah, oui, je vous disais que les colons et l'État français se nourrissaient alors des pauvres Camerounais et Gabonais. Ha! Ha! Ha!

L'homme riait comme s'il toussait, du fond de la poitrine, bouche ouverte, et sans que son visage – ni ses lèvres ni ses yeux – participât le moins du monde à cette hilarité. Le rire ne montait pas et s'arrêtait aussi brusquement qu'il avait commencé, sans décroître.

– Au Cameroun, la source de tous les litiges était que les Français prétendaient avoir hérité plus de droits que n'en avaient réellement détenus leurs prédécesseurs allemands. Avez-vous étudié le droit, monsieur?

– Non.

– C'est bien dommage. Tous les Noirs devraient étudier le droit des Blancs: français, anglais, espagnols, le droit de tous les colonisateurs, ainsi que leurs langues. Vous devriez étudier la langue française... je veux dire, profondément. Quelles études faites-vous?

– J'achève une licence de philosophie.

– Ah, excellent, mon fils. C'est très bien. Car, savez-vous : ils sont là, tout entiers, dans leur droit et leur langue. Leur droit, leur langue, constituent la texture même de leur génie, dans ce qu'il a de plus grand et dans ce qu'il a de plus néfaste, aussi. Bon, voyons, que disais-je? Ah, oui !... Donc, les Français, mandataires de la SDN, ne pouvaient détenir plus de droits que leurs mandants. Or, la SDN elle-même, savez-vous ce qu'elle a hérité de l'Allemagne, s'agissant du Cameroun? Elle a hérité un procès ! Pas plus ! Ha ! Ha ! Ha ! Je vous étonne, hein ? J'ai des documents, chez moi. Je vous les montrerai. Vous y verrez que les Allemands avaient signé des traités d'amitié et de protectorat avec les souverains camerounais. Le kaiser traitait d'égal à égal avec lesdits souverains, et c'est ainsi que les princes camerounais ont été élevés dans la Cour impériale même, avec les fils de l'Empire germanique. On a voulu nous faire croire que les Allemands étaient racistes... fondamentalement, plus que les autres nations blanches occidentales. C'est faux ! Hitler, oui, et ses nazis, ainsi que tous les fascistes du monde, sans doute. Sinon, les Allemands ne sont pas plus racistes que les colons civils ou militaires de toutes nationalités : souvenez-vous de Kitchener à Khartoum, des armées françaises de la conquête d'Algérie, de Cortez, au Mexique, etc. Ce qu'il y a, c'est que les Allemands sont des métaphysiciens. Pour les convaincre, il faut des arguments de transcendance pure, et leurs racistes l'ont compris. Ailleurs, on est juriste, et on se justifie du Code ; ailleurs encore, on combat pour Dieu – et on se justifie de Lui pour redresser ses créatures tordues... ou les massacrer si elles résistent... Que disais-je ? Ah, oui ! Donc, tout alla bien et fort civilement, entre les Allemands et les Camerounais, tant qu'on s'en tint aux traités. Avec l'agrément des princes, les Allemands encourageaient les cultures d'exportation en achetant cher les produits aux nègres, et en leur bottant le derrière, sans racisme aucun croyez-moi, s'ils ne voulaient pas travailler. La bagarre commença quand, sous prétexte de je ne sais quelle nécessité d'assainir le pays, les Allemands prétendirent faire main basse sur les terres des Camerounais. Les princes constituèrent, en Allemagne même, un avocat pour défendre leur cause. La justice allemande donna raison aux Camerounais et l'État allemand laissa l'affaire en suspens, car la guerre éclatait. Les Français remplacèrent les Allemands au Cameroun. Peuvent-ils prétendre, je vous le demande, à plus qu'à l'héritage d'un procès ?

   – Si c'est ainsi, évidemment..., commença Samba Diallo.

– C'est ainsi, monsieur. À mon tour, j'eus l'honneur comme avocat d'hériter la charge de défendre le droit naturel des Camerounais sur leur terre. Ce devoir, j'ai été jusqu'à Genève pour m'en acquitter. C'est un lion, monsieur, que vous avez devant vous, qui rugit et bondit chaque fois qu'il est porté atteinte à la cause sacrée de la liberté !

De fait, le vieil homme, dans son délire, secouait sur les tasses de café une crinière de lion. Samba Diano avait senti monter en lui, à la manière d'une ondée chaude, un fort sentiment de sympathie pour ce vieux nègre. « En ce jour, pensait-il pendant que Pierre-Louis radotait, dans ces rues où je me désespérais que le temps fût recouvert par l'ignoble sédiment de l'événement et de l'objet, voici que l'âme des temps, voici que la passion révolutionnaire surgit devant moi, ainsi que ses rêves fous. Sous la crinière du vieux lion noir, c'est le même souffle qui agita Saint-Just qui continue d'agiter l'espèce. Mais, en vérité, de Saint-Just à ce vieux fou de Pierre-Louis, la durée s'est alourdie, comme mûrit un fruit. La Révolution française est l'adolescence de la révolution, aussi un adolescent l'incarna-t-il mieux que tout autre. Avec le vingtième siècle est-ce le grand soir de la révolution qui s'annonce ? Voici que fébrilement elle se barricade dans l'ombre, derrière la peau noire du dernier des esclaves, Pierre-Louis. Est-ce pour livrer son ultime combat ? »

– Vous ne m'avez pas dit votre nom, monsieur.

Samba Diallo sursauta et répondit :

– Je m'appelle Samba Diallo. Je vous ai déjà dit, je crois, que je suis étudiant. Tenez, voici mon adresse – et il tendit une carte à Pierre-Louis.

– Voici la mienne, répondit ce dernier. J'aimerais vous avoir chez moi, un de ces jours. Je ne vous ennuierai pas trop. D'ailleurs, ma petite famille y veillera, vous verrez.

Ils se levèrent et Pierre-Louis prit congé de son nouvel ami.

Dès qu'il fut entré dans le café, Samba Diallo aperçut le bras levé de Lucienne qui lui faisait signe. Il se dirigea vers elle, en souriant, et lui tendit la main.

L'oiseau n'est sur la fleur balancé par le vent
Et la fleur ne parfume et l'oiseau ne soupire
Que pour mieux enchanter l'air que ton sein respire,

déclama-t-il en s'asseyant.

Elle retira sa main et fit mine de lui en fermer la bouche.

– Idiot !

Il baissa la tête, rabattit les commissures de ses lèvres, renifla et mima si bien un gros dépit d'enfant qu'elle éclata de rire.

– Si je ne te savais pas si vieux Turc, j'aurais juré que tu as bu, dit la jeune fille avec la gravité d'un médecin énonçant un diagnostic.

– Mais voilà, je n'ai pas encore bu ! Je m'en vais le faire cependant.

Il fit signe au garçon et commanda un café. Puis, il se tourna vers Lucienne.

– Le café ne me vaut rien, je le sais, mais je ne cesse pas d'en boire. C'est à ce signe, entre autres, que je reconnais la présence, parmi nous, de la Fatalité...

Lucienne, les coudes sur la table, le menton posé sur ses mains ouvertes, fixait maintenant sur lui un regard qui exprimait la résignation.

– Bon, dit-il. Voici mon café. Je ne dirai plus rien. Je t'écoute.

Le garçon déposa le café et Samba Diallo commença de le boire en observant Lucienne.

Il avait un peu redouté ce rendez-vous. Depuis le soir où il avait dîné chez la jeune fille, ils ne s'étaient revus que très peu, notamment à l'occasion des examens de fin d'année. Il y avait, bien sûr, une excuse dont Samba Diallo pouvait arguer : les révisions. Mais la jeune fille savait son emploi du temps, et que l'approche des examens ne l'avait que fort peu modifié. Elle savait qu'en tout état de cause, s'il avait voulu la voir, il eût disposé du temps nécessaire. Il sentait qu'elle n'était pas dupe.

Mais il ne pouvait pas non plus avouer la raison de sa retenue soudaine : l'impossibilité de supporter plus longtemps la tranquille inquisition de ce regard bleu que la jeune fille avait fixé sur lui depuis les premiers moments de leur rencontre. Que voulait Lucienne ?

Un jour, après les examens qu'ils avaient réussi tous les deux, il avait reçu un mot d'elle : « Si la mention que tu as obtenue à tes examens ne t'a pas tourné la tête, peut-être te souviendras-tu de moi ?

« Tu vois, je m'efforce à la plaisanterie. J'ai malheureusement tout lieu de craindre que la raison de ta retenue ne soit plutôt mon attitude stupide, lorsque tu es venu dîner à la maison. J'avais seulement cru qu'avec un philosophe, je pouvais discuter en toute liberté, sans craindre de débusquer de vieilles susceptibilités. J'aimerais m'expliquer de tout cela, si tu es disponible. Fixe-moi un rendez-vous. »

Il avait fixé ce rendez-vous et y était venu non sans appréhension, craignant tout ce qu'elle pourrait deviner de lui. Il avait souhaité maintenir la conversation sur le ton badin qu'ils avaient adopté, mais il semblait que Lucienne, pour sa part, ne l'entendît pas ainsi, cette fois.

— Je ne t'ai jamais vu cet aimable brio, constata-t-elle en souriant.

— Je te ménageais. J'ai d'autres talents et si tu veux...

Elle lui saisit la main.

— Samba Diallo, t'ai-je vraiment vexé en te parlant comme je l'ai fait, l'autre soir ?

— Mais non, voyons, je ne vois d'ailleurs pas ce qui aurait pu me vexer.

— Je ne sais pas. Après coup, j'ai pensé que j'ai été un peu vive. Je n'ai pas voulu te blesser, en tout cas...

Elle hésitait, comme si elle cherchait qu'ajouter d'autre, pour se faire pardonner de son camarade.

– Lucienne, Lucienne, tu ne sais pas ménager tes effets. Là, de toute évidence, Shakespeare s'imposait : « Si, en lançant ma flèche par-dessus le toit... etc. » Voir *Hamlet*.

– Est-ce que tu vas m'écouter à la fin, dit-elle en frappant du pied.

Il redevint sérieux.

– Oui, Lucienne. Je t'écoute.

– Voilà. Je voulais te dire aussi que je suis inscrite au parti communiste...

– Je le savais...

– Ah... tu savais ?

– Oui. Je t'ai vue distribuer des tracts.

Un jour, en effet, il l'avait vue distribuer des tracts à la porte de la Sorbonne. Il avait hâté le pas, avait saisi un des tracts des mains d'une autre jeune fille qui en distribuait aussi et s'était éloigné rapidement de peur d'être vu de Lucienne. Au coin de la rue, il avait déplié le papier. Il était signé du Parti. Du même coup, une infinité de petits faits qu'il avait observés, de propos qu'il avait notés, s'étaient rassemblés dans son souvenir et avaient achevé de le convaincre. Il s'aperçut que cette découverte ne le surprenait pas beaucoup néanmoins, comme si depuis leur rencontre, il avait pensé que cette jeune fille ne pouvait être mue que par des fidélités de cet ordre. Il en avait ressenti un regain d'estime pour elle. Il admirait que la propre fille d'un ministre du culte, de l'envergure de M. Martial eût survécu à l'aridité de ce chemin de Damas à rebours. Ce que Samba Diallo savait de la culture et de l'intelligence de Lucienne le convainquait assez que cette aventure spirituelle n'avait pas été banale ni escamotée, mais bien qu'elle avait été rude, debout en bout vécue dans la clarté. Il ne semblait pas à Samba Diallo qu'il eût eu l'envergure de survivre à pareille aventure.

– ... et tu vois, ajouta-t-il lentement, j'en ai conçu un regain d'admiration pour toi.

Elle rougit un peu et dit :

— J'accepte ton admiration et la porterai désormais comme une parure. Mais, elle n'enrichit que moi...

Elle hésita, baissa les yeux.

Sur la table, ses mains pliaient et dépliaient le papillon de la commande, laissé par le garçon. Ses joues étaient roses, mais à l'obstination de son petit front, à la régularité de son souffle, on devinait qu'elle était décidée à aller jusqu'au bout de sa pensée.

Ce fut Samba Diallo qui parla, cependant. La lumière s'était faite soudain dans son esprit ; il avait compris ce que lui voulait sa blonde camarade. Dès lors, il prit l'offensive.

— Lucienne, mon combat déborde le tien dans tous les sens.

Il s'était penché sur la table et prenait ainsi l'apparence de quelque étrange et immense oiseau de proie, aux ailes déployées. Il semblait qu'une profonde exaltation l'eût envahi soudain :

— Tu ne t'es pas seulement exhaussée de la nature. Voici même que tu as tourné contre elle le glaive de ta pensée ; ton combat est pour l'assujettir. N'est-ce pas ? Moi, je n'ai pas encore tranché le cordon ombilical qui me fait un avec elle. La suprême dignité à laquelle j'aspire, aujourd'hui encore, c'est d'être sa partie la plus sensible, la plus filiale. Je n'ose pas la combattre, étant elle-même. Jamais je n'ouvre le sein de la terre, cherchant ma nourriture, que préalablement je ne lui en demande pardon, en tremblant. Je n'abats point d'arbre, convoitant son corps, que je ne le supplie fraternellement. Je ne suis que le bout de l'être où bourgeonne la pensée.

Les grands yeux bleus de Lucienne fixaient Samba Diallo de toute leur immensité. Le visage n'était plus, autour des yeux, qu'une vague auréole blanche, rose et blonde.

— Par là, mon combat est loin derrière le tien, dans la pénombre de nos origines.

Samba Diallo s'était relâché sur sa chaise. Il semblait maintenant qu'il se parlât à lui-même, avec une profonde mélancolie.

Lucienne saisit et pressa sa main qui était restée sur la table. Il frissonna.

– Mais non, je n'ai pas peur, protesta-t-il, comme s'il eût voulu prévenir des paroles de compassion. Non, tu vois, ma chance est que maintenant, tu es debout : j'apercevrai ta tête blonde et je saurai que je ne suis pas seul.

Soudain, il retira sa main, et se pencha de nouveau :

– Ne nous cachons rien, cependant. De ton propre aveu, lorsque tu auras libéré le dernier prolétaire de sa misère, que tu l'auras réinvesti de dignité, tu considéreras que ton œuvre est achevée. Tu dis même que tes outils, devenus inutiles, dépériront, en sorte que rien ne sépare le corps nu de l'homme de la liberté. Moi, je ne combats pas pour la liberté, mais pour Dieu.

Lucienne dut se retenir de rire aux éclats. Il vit néanmoins son sourire et, paradoxalement, sourit aussi, en se relâchant encore plus. Il y avait le même défi dans leurs deux sourires.

– J'aimerais te poser une question indiscrète, dit-elle. Ne réponds pas, si elle te gêne vraiment.

Il sourit.

– Je n'ai plus le choix : ne pas répondre serait un aveu. Je répondrai donc.

– Si on te proposait – si un médecin psychanalyste par exemple te proposait – de guérir ton peuple de cette partie de lui-même qui l'alourdit, l'accepterais-tu ?

– Ah, parce que tu penses que cela relève de la psychanalyse ? Et d'abord, cet appel à la psychanalyse m'étonne d'une marxiste.

– Je n'ai pas dit cela. J'ai dit un médecin comme je dirais un prêtre ou n'importe qui. Accepterais-tu d'être délivré ?

– Cela ne me paraît pas possible.

– J'admire au passage ta défense impeccable, mais réponds, s'il te plaît, à ma question.

Samba Diallo hésita, parut embarrassé.

— Je ne sais pas, dit-il finalement.

— Très bien, cela me suffit ! Et le visage de Lucienne s'éclaira. Je sais maintenant que ta négritude te tient à cœur.

— J'avoue que je n'aime pas ce mot et que je ne comprends pas toujours ce qu'il recouvre.

— Que tu n'aimes pas le mot est la preuve de ton bon goût, dit simplement Lucienne.

Elle s'adossa bien sur la banquette, pencha la tête de côté et sourit légèrement.

— Tu as beaucoup pratiqué le XIXe siècle russe, ses écrivains, ses poètes, ses artistes, dit-elle. Je sais que tu aimes ce siècle. Il était rempli de la même inquiétude, du même tourment passionné et ambigu. Être l'extrême bout oriental de l'Europe ? Ne pas être la tête de pont occidentale de l'Asie ? Les intellectuels ne pouvaient ni répondre à ces questions ni les éviter. Comme toi la « négritude », eux non plus n'aimaient pas entendre parler de « slavisme ». Cependant, lequel d'entre eux n'a pas plié le genou, filialement, devant la Sainte Russie ?

Samba Diallo l'interrompit :

— Je te le disais bien ! et aucun prêtre ou médecin n'a rien pu à ce tourment.

— Oui, mais Lénine ?

Samba Diallo se dressa sur sa chaise et considéra Lucienne. La jeune fille était demeurée paisible à sa place. Simplement, elle avait cessé de sourire et regardait Samba Diallo avec, semblait-il, une légère anxiété.

— Samba Diallo, dit-elle, le lait que tu as sucé aux mamelles du pays des Diallobé est bien doux et bien noble. Fâche-toi chaque fois qu'on te contestera et corrige le crétin qui doutera de toi parce que tu es noir. Mais, sache-le aussi, plus la mère est tendre et plus tôt vient le moment de la repousser...

Samba Diallo regarda Lucienne droit dans les yeux et, le cœur battant, articula lentement :

— Je crois que je préfère Dieu à ma mère.

***

Soudain, au milieu du courant, Samba Diallo cessa de ramer et s'adossa confortablement. En face de lui, à l'autre bout de la barque, Lucienne, étendue le visage au soleil, paraissait dormir.

Il aspira l'air longuement, s'étira, regarda le ciel et sourit.

– J'aurais voulu que la chaleur du soleil s'adoucît soudain, que le ciel bleuît un peu plus, que l'eau du fleuve courût plus vite et fît plus de bruit. L'univers, tout autour devrait scintiller. Lucienne, n'est-ce pas possible ? Quand j'étais enfant, j'étais maître de cela. J'obtenais des matins neufs dès que je les voulais. Et toi ?

Elle avait ouvert les yeux et le regardait, sans bouger néanmoins.

– Jamais. Sauf quand j'allais à la campagne. Et encore, j'obtenais tout juste des matins « améliorés », jamais ceux-là que tu suscitais.

Un long silence suivit.

– Dis-moi, Lucienne, ne ris pas de moi aujourd'hui. Même si je te parais saugrenu, ne ris pas. En ce jour, je voudrais plonger, plonger en moi, au plus profond de moi, sans pudeur. Je voudrais tant savoir si j'ai seulement rêvé de tout ce bonheur dont je me souviens, ou s'il a existé.

– Je ne rirai pas. Quel bonheur ?

– Le décor est le même. Il s'agit de cette même maison qu'enferment un ciel plus ou moins bleu, une terre plus ou moins vivante, l'eau y coule, les arbres y poussent, des hommes et des bêtes y vivent. Le décor est le même, je le reconnais encore.

Elle se redressa et s'accouda sur le bord de l'embarcation.

– Quel bonheur ? demanda-t-elle à nouveau.

– Lucienne, ce décor, c'est du faux ! Derrière, il y a mille fois plus beau, mille fois plus vrai ! Mais je ne retrouve plus le chemin de ce monde.

CHAPITRE I

1. Expliquez, en les replaçant dans leur contexte, les phrases et expressions suivantes :

   a. *Socrate-a-t-il enfin bu la ciguë ?* [...] *– Non* [...] *le vaisseau sacré n'est pas encore revenu de Délos.* (p.110)

   b. *Vous avez devant vous une belle incarnation de ce que vous autres, philosophes, appelez, je crois, un couple dialectique* (p. 111)

   c. *Il a fait claquer sa chahâda, comme un étendard au vent* (p. 112)

   d. *Quelquefois, la métamorphose ne s'achève pas, elle nous installe dans l'hybride et nous y laisse* (p. 113)

   e. *il y a eu aussi un peu de l'attrait morbide du péril ; une moue dubitative ; le choix entre la foi et la santé du corps* (p. 115)

2. L'adjectif « rose » est employé à deux reprises à propos de Lucienne : *Lucienne vint à sa rencontre, souriante et rose* (p. 110) ; *Lucienne était rose d'exaspération* (p. 115). Les connotations attachées à ce vocable sont-elles tout à fait identiques dans ces deux emplois ? Justifiez.

1. Qu'est-ce qui permet de situer l'action dans un espace et dans un temps particuliers (patronymes, décors, contenus discursifs, portraits...) ? Donnez des exemples précis que vous expliquerez si nécessaire.

2. Qu'est-ce qui permet d'indiquer le niveau socioculturel des personnages mis en scène dans ce chapitre ? Intéressez-vous particulièrement à leurs attitudes et au registre de langue.

3. Les nombreuses références littéraires citées (Socrate, Saint-Augustin, Descartes, Pascal...) et les sujets de conversation abordés sont-ils révélateurs des centres d'intérêt des différents interlocuteurs ? Justifiez votre réponse en donnant des exemples précis.

ÉTUDIER LES PERSONNAGES

1. Que retenez-vous du portrait de Paul Martial? Avec quel autre personnage du roman le narrateur voit-il une ressemblance? Quelles conclusions en tirez-vous?

2. Des divergences et des ressemblances intellectuelles entre ces personnages se font jour. Montrez-le.

3. Qu'est-ce qui éloigne et qu'est-ce qui rapproche M. Martial et Samba Diallo? Lucienne et Samba Diallo? Étayez vos réponses à l'aide de citations précises du texte.

4. Selon Samba Diallo, qu'est-ce qui a souvent « failli gâcher absurdement les fragiles moments de ses premiers contacts avec les gens » (p. 112)?

5. Pourquoi pense-t-il que le choix de venir étudier la philosophie à Paris a été motivé par « un peu de l'attrait morbide du péril » (p. 113) ? Quel danger court-il en France?

6. Selon Lucienne, parmi ceux qui ont choisi le parti de la foi, se trouvent des individus qui « se parent de cette cause, pour couvrir des desseins rétrogrades. » (p. 116) Que veut-elle signifier?

POUR ALLER PLUS LOIN

Samba Diallo observe une rupture entre la pensée occidentale et la pensée non occidentale à partir du XVIIe siècle (p. 113)? Quelles sont les causes et les conséquences de cette rupture?

ÉCRIRE

Le texte met en opposition la foi en Dieu et la foi en la Science. Ce débat vous semble-t-il toujours d'actualité? Rassemblez la documentation nécessaire et discutez-en sous la forme d'un essai argumentatif.

RECHERCHER

Informez-vous sur la vie et les idées des philosophes cités dans ce chapitre (Socrate, Platon, Saint-Augustin).

CHAPITRE II

1. Expliquez les mots et expressions suivants : *ceindre* (p. 117) ; *cette gymnastique grotesque et pénible* (p. 117) ; *toute la charpente du corps* (p. 117) ; *sanglots éhontés* (p. 118) ; *obtuse* (p. 119) ; *téméraire (p. 119)* ; *cuistre* (p. 119) ; *sanglé* (p. 119) ; *distendait* (p. 119) ; *infâme* (p. 122).

2. Montrez dans les expressions suivantes que l'emploi de métaphores aide à la compréhension des paroles rapportées : *La parole tisse ce qui est, plus intimement que la lumière ne tisse le jour* (p. 118) ; *Ô mon pays, dans le cercle de tes frontières, l'un et le multiple s'accouplaient hier encore* (p. 120) ; *Le savoir et la foi coulaient de source commune et grossissait la même mer. À l'intérieur de tes frontières, il était donné encore de pénétrer le monde par le grand portail.* (p. 121) ; *Voici que la vallée va prendre congé de la montagne* (p. 121) ; *La vallée profonde où clapote le cœur du monde...* (p. 121).

3. Quel message le locuteur et/ou indirectement le narrateur, veut-il transmettre à travers les extraits suivants :

a. *Dieu fut ma grande trouvaille. Je suggérais, par mon attitude, que c'est lui que je défendais. Mais, je vous le demande, peut-on défendre Dieu des hommes ?* (p. 122) ;

b. *Chef des Diallobé, songez qu'il arrive que la révolte de la multitude contre ces malins (ceux qui se servent de Dieu) prenne la signification d'une révolte contre Lui. Quand au contraire, elle est la plus sainte de toutes les guerres saintes !* (p. 122) ;

c. *« Ils disent que l'être est écartelé de néant, est un archipel dont les îles ne se tiennent pas par en-dessous, noyées qu'elles sont de néant. Ils disent que la mer, qui est telle que tout ce qui n'est pas elle y flotte, c'est le néant. »* (p. 123).

ANALYSER

1. Dégagez la structure narrative de ce chapitre et résumez chacune de ces sous-parties.

2. Quels sont les changements annoncés par Demba ?

3. Qu'est-ce qui, dans la lettre du chef, montre l'acceptation d'un nouvel ordre social ?

4. Analysez la prière de Samba Diallo : « Ils disent... [...]. Et toi, tu bénis leur errement. [...] Ta vérité ne pèse plus très lourd, mon Dieu... » (p. 123). Qui désigne ce « ils » ?

ÉTUDIER LES PERSONNAGES

Reproduisez et complétez le tableau suivant :

NOM	Fonction	Lieu de résidence	Acceptation	Rejet	Résignation
THIERNO	Maître du Foyer-Ardent				
DEMBA	Son successeur				
LE CHEF DES DIALLOBÉ	Chef traditionnel				
GRANDE ROYALE	Sa sœur, femme de pouvoir				
SAMBA DIALLO	Personnage principal				
LE FORGERON	Garant de la tradition				
LE FOU	Celui qui connaît l'autre monde				

1. Que laisse apparaître la lecture de ce tableau ? Commentez-le.

2. Fournit-il des indices pour mieux comprendre la fin du roman ? Lesquels ?

POUR ALLER PLUS LOIN

Quelles réflexions sur la liberté de l'homme vous inspirent ces citations :

a. Le chef des Diallobé : « – Maître, je parle de ces hommes qui habitent le pays des Diallobé. Ils sont, sous nos yeux, comme des enfants. Nous avons le devoir de leur prendre leur liberté, pour en user à leur avantage. » (p. 122).

b. Le maître des Diallobés : « Chef des Diallobé, songez qu'il arrive que la révolte de la multitude contre ces malins prenne la signification d'une révolte contre Lui. Quand, au contraire, elle est la plus sainte de toutes les guerres saintes ! » (p. 122).

ÉCRIRE

En vous appuyant sur la lecture de *L'Aventure ambiguë* et sur vos réflexions personnelles, dîtes si l'homme vous semble plus libre dans les sociétés traditionnelles ou dans les sociétés occidentalisées.

RECHERCHER

Le roman nous apprend que pour déléguer son autorité spirituelle au disciple qu'il a choisi, le maître lui ceignait la tête d'un turban blanc.
Quelle est la signification symbolique de ce geste ? En existe-t-il d'autres ?
Comment se déroule aujourd'hui la cérémonie de passation du pouvoir de l'ancien maître au nouveau maître dans une école coranique ?

CHAPITRE III

COMPRENDRE

Précisez le sens des expressions suivantes dans leur contexte :

a. *Un filet ténu de pensée claire filtrait avec difficulté de la lourde nappe de ses sensations* (p. 124).

b. *Ces rues sont nues, percevait-il. Non, elles ne sont pas vides. On y rencontre des objets de chair, ainsi que des objets de fer.* (p. 124).

c. *Ah ! On y rencontre aussi des événements. Leur consécution encombre le temps, comme les objets encombre la rue. Le temps est obstrué par leur enchevêtrement mécanique.* (p. 124).

d. *un vieux nègre* (p. 125).

e. *la bouche découvrit de vieilles dents jaunes, espacées et plantées de guingois.* (p. 125)

f. *les colons et l'État français se nourrissaient alors des pauvres Camerounais et Gabonais.* (p. 126).

g. *les Allemands encourageaient les cultures d'exportation en achetant cher les produits aux nègres, et en leur bottant le derrière, sans racisme aucun croyez-moi, s'ils ne voulaient pas travailler.* (p. 127)

h. *Sous la crinière du vieux lion noir, c'est le même souffle qui agita Saint-Just[1] qui continue d'agiter l'espèce.* (p. 128).

ANALYSER

1. Montrez que la narration de la promenade de Samba Diallo (p. 124) souligne sa solitude et le fait qu'il se sente étranger dans un environnement perçu comme hostile.

2. Synthétisez la conversation entre Pierre-Louis et Samba.

3. En quoi ce personnage, ainsi que l'Histoire dont il a été le témoin, joue-t-il un rôle essentiel dans la formation intellectuelle de Samba Diallo ?

---

[1] Louis Antoine Léon de Saint-Just (1767-1794) est un révolutionnaire français guillotiné à 26 ans. Il se distingua pour son intransigeance sous la Terreur.

ÉTUDIER LES PERSONNAGES

1. Dressez le portrait de Pierre-Louis selon le regard de Samba Diallo, celui du narrateur puis celui de Pierre-Louis lui-même.
2. Quelles impressions le portrait de Pierre-Louis (p. 125) produit-il sur le lecteur ?
3. Qu'est-ce qui a poussé Pierre-Louis à descendre « du siège pour aller de l'autre côté du barreau » (p. 125) ? (Définissez et opposez les deux termes.)
4. Quels exemples donne-t-il pour justifier cette affirmation (p. 126) : « Tous les Noirs devraient étudier le droit des Blancs : français, anglais, espagnols, le droit de tous les colonisateurs, ainsi que leurs langues. » ?

POUR ALLER PLUS LOIN

Samba Diallo se compare à Malte Laurids Brigge, héros de Rainer Maria Rilke. Au-delà de l'analogie des situations des personnages, reportez vous au texte en annexe et comparez l'écriture de Rilke et celle de Kane.

ÉCRIRE

Discutez de la nature, parfois ambiguë, des relations qui se sont tissées entre les Antillais ou les Afro-américains et les Africains ?

RECHERCHER

Faites des recherches sur la conquête et la colonisation du Cameroun par les Français et les Allemands. Intéressez vous notamment à Blaise Diagne, Galandou Diouf et Ruben Um Nyobe.

CHAPITRE IV

COMPRENDRE

1. *Si je ne te savais pas si vieux Turc, j'aurai juré que tu as bu* (p. 129). Placé dans le contexte de la phrase, le syntagme « si vieux Turc » est-il compréhensible ? Que veut dire Lucienne ?
2. Pourquoi Samba Diallo avait-il « un peu redouté ce rendez-vous » et craignait-il « la tranquille inquisition de ce regard » ? (p. 130) ?
3. Que signifie : *Cette jeune fille ne pouvait être mue que par des fidélités de cet ordre* ? (p. 131)
4. *L'aridité de ce chemin de Damas à rebours* (p. 131) : qu'entend-on par « chemin de Damas » ? Que signifie cette expression ?
5. *Tu ne t'es pas seulement exhaussée de la nature.* (p. 132). Que signifie ici le participe « exhaussée » ? Que veut dire exactement Samba Diallo ?
6. Que veut-il encore signifier lorsqu'il dit : « *ma chance est que maintenant tu es debout : j'apercevrai ta tête blonde et je saurai que je ne suis pas seul.* » (p. 133)
7. *Je sais maintenant que ta négritude te tient à cœur* (p. 134). À quoi Lucienne fait-elle allusion ?
8. *plus la mère est tendre et plus tôt vient le moment de la repousser...* (p. 134). Quel conseil Lucienne cherche-t-elle ici à prodiguer à Samba Diallo ?
9. *Le décor est le même. Il s'agit de cette même maison.* (p. 135). De quelle maison s'agit-il ?

ANALYSER

1. Montrez comment le texte met en évidence ce qui rapproche et ce qui éloigne Lucienne de Samba Diallo.
2. Les lieux de discussion entre Samba Diallo et Lucienne vous semblent-t-ils influer sur le contenu et le ton de la conversation ?
3. Deux courants de pensée, certes différents mais qui incarnent tous deux des formes de lutte, sont évoqués. Lesquels ? Lucienne combat pour la

victoire de l'idéologie qu'elle a choisie. Pour quoi combat Samba Diallo ?

4. Au début du chapitre, Samba Diallo déclame des vers extraits de *La Maison du Berger* d'Alfred de Vigny (1797-1863). Quel est alors l'objectif de cette citation ?

ÉTUDIER LES PERSONNAGES

1. Samba Diallo et Lucienne incarnent deux personnages intelligents, cultivés, sensibles, animés par une même force combative. Montrez-le.

2. Les traits physiques caractéristiques de la « blancheur » de Lucienne sont évoqués à trois reprises dans le texte. Il en va de même de l'évocation de la « négritude » de Samba Diallo. Repérez et relevez les passages concernés. Que tendent-ils à souligner ?

POUR ALLER PLUS LOIN

Partagez-vous l'opinion de Samba Diallo et pensez-vous qu'on puisse qualifier d'aventure spirituelle le fait de passer de la foi religieuse à l'athéisme ?

ÉCRIRE

Imaginez le dialogue entre Lucienne et son père pasteur au sujet de l'évolution idéologique de la jeune fille.

RECHERCHER

1. Informez-vous sur le panslavisme revendiqué en Russie au XIXᵉ siècle. Rédigez une brève biographie de Lénine. Définissez le panthéisme, le chamanisme et l'animisme.

2. Rassemblez une documentation sur le mouvement de la Négritude et sur les mouvements littéraires et culturels qui lui ont succédé en Afrique et dans les Caraïbes.

SYNTHÈSE DES CHAPITRES I À IV

Reproduisez et complétez le tableau ci-dessous. Proposez une analyse de la progression de cette partie du roman en faisant des rapprochements éclairants entre les chapitres.

CHAPITRE	I	II	III	IV
TITRE / CONTENU	Pensée occidentale et pensée non occidentale.			
TEMPS / LIEUX	Ellipse temporelle (non précisée) En France			
PERSONNAGES	Samba Diallo ; Lucienne ; Paul Martial, son père, son épouse ; Pierre, le cousin étudiant en médecine.			
ACTIONS	Samba Diallo qui étudie la philosophie a fait la connaissance de Lucienne à l'université. Il est invité à déjeuner dans sa famille. Pierre est athée déclaré et progressiste, le père est pasteur, donc croyant, Samba se déclare musulman et respectueux des interdits religieux (alcool). Samba Diallo affirme que de Socrate à Pascal la pensée occidentale dominante est celle qui est encore celle de l'Afrique, Descartes se trouvant à la charnière entre ces deux conceptions du monde. Discussions… rejet du progrès.			
DISCOURS DOMINANT	Dialogal, argumentatif, narratif.			

Samba Diallo appuya sur le bouton de la sonnette et attendit. À travers la porte, il perçut le silence brusque de voix animées. La porte s'ouvrit.

– Entrez donc, monsieur.

Devant lui, souriante, se tenait une jeune fille. Samba Diallo ne bougea pas, malgré l'invite, comme fasciné par l'apparition. Elle était grande et bien prise dans un jersey serré, dont la couleur noire rehaussait le teint chaud de soleil couchant du cou, du visage et des bras. Une masse pesante de cheveux noirs auréolait la tête et descendait en un pan lourd jusqu'aux épaules, où elle se confondait, à ne plus s'en distinguer, avec le noir brillant du jersey. Le cou était gracile sans être mince et sa sveltesse soulignait le poids d'une gorge ferme. Sur le soleil rouge du visage éclatait le jais des yeux immenses, le reflet tour à tour retenu et offert du sourire timide.

– Entrez donc, monsieur. Nous vous attendions, répéta-t-elle.

– Pardon, s'excusa Samba Diallo, confus.

Il entra et attendit que la jeune fille eût fermé la porte derrière lui. Il la suivit, et son regard s'attarda sur le lent ondoiement du buste qu'animait le rythme de jambes longues, et qu'il devinait fines, dans le prolongement de petits pieds chaussés de mocassins.

À la porte du salon, un rire bien connu accueillit Samba Diallo.

– Ha ! Ha ! Ha ! le voici ! Voici l'homme nouveau. Il est jeune, il est neuf, il...

– Pierre-Louis, présente-nous à monsieur, et cesse de bavarder comme un vieux fou.

La personne qui venait de parler était une grosse métisse, couverte de bijoux, qui fixait sur Samba Diallo un regard maternel.

– Bon, bon, obtempéra le vieux fou. Jeune homme, voici ma femme, Adèle. Telle que vous la voyez, malgré ses cris, elle a du sang royal, étant princesse gabonaise.

Ce disant, Pierre-Louis se tenait à une distance prudente de la grosse princesse. Samba Diallo s'inclina et prit la lourde main abondamment baguée, qui lui était tendue.

– Ce rayon de soleil, là-bas, qui cherche à se cacher de votre regard, c'est ma petite-fille. Elle n'a qu'une seule imperfection, qui n'apparaît pas de prime abord d'ailleurs : elle s'appelle Adèle aussi.

Samba Diallo sut gré à la princesse baguée du projectile – un éventail pliant – qu'elle envoya s'égarer par-dessus la tête de Pierre-Louis. Les rires et l'agitation abritèrent son trouble au moment où il s'inclinait devant l'apparition et serrait une petite main qu'il crut sentir trembler dans la sienne.

– Et voici mes deux fils : capitaine Hubert Pierre-Louis, qui est le père d'Adèle, et Marc qui est ingénieur.

Samba Diallo échangea deux rudes poignées de main.

– Ce sera tout pour ce soir, conclut Pierre-Louis comiquement.

– Vous avez beaucoup impressionné mon père, Samba Diallo, dit Marc. Il n'a fait que nous parler de vous.

Samba Diallo parut surpris et allait se récrier, quand la princesse baguée l'en dispensa.

– Je sais la raison de l'enthousiasme de Pierre-Louis, dit-elle. Vous l'avez écouté : rien ne l'impressionne tant, et moi aussi du reste. J'ai su par là quelle éducation est la vôtre.

Tout le monde rit et Samba Diallo en profita pour céder à une furieuse envie de regarder Adèle.

La jeune fille, assise à même le tapis, la tête sur les genoux de Pierre-Louis, fixait Samba Diallo de ses grands yeux.

Le jeune homme en éprouva un sentiment de plaisir qu'il regretta aussitôt, puis ce regret lui-même le surprit.

« Tiens, tiens, se dit-il. On dirait que MBare bouge. Le voici qui adresse des clins d'œil canailles à une jeune fille qu'il voit pour la première fois. » MBare, nom typique d'esclave au pays des Diallobé, était le sobriquet dont les parents de Samba Diallo usaient du temps de son enfance, pour lui faire honte d'un mauvais comportement.

Il répondit à Marc :

— C'est moi qui suis reconnaissant à votre père d'avoir conjuré le découragement qui m'envahissait lentement, lorsque je le rencontrai il y a un mois. Je ne sais si vous avez ressenti parfois cette impression poignante de vacuité que donnent les rues de cette ville – par ailleurs si bruyante cependant. Il y a comme une grande absence, on ne sait de quoi. J'étais en proie à cette étrange sensation lorsque je rencontrai votre père, et j'ai eu l'impression qu'il me remettait à flot, dans le courant.

— Vous habitez seul, s'enquit Hubert, pratique.

— Non, ce n'est pas cela, intervint Marc. J'ai souvent entendu des hommes de couleur parler comme Samba Diallo. Je crois, pour ma part, que cette impression provient de ce que, paradoxalement, ils attendaient de trouver à Paris ce qu'ils ont quitté pour y venir. N'est-ce pas votre avis, Samba Diallo ?

— Je ne crois pas que ce soit l'environnement matériel de mon pays qui me manque, si c'est ce que vous voulez dire.

— Ah ! s'enquit Marc, intéressé. Essayez donc d'expliquer. Vous savez, mon père m'a envoyé ici depuis ma plus tendre enfance, mais je me sens étranger aussi, dans ce pays. Je voudrais bien savoir...

Il n'acheva pas sa phrase et attendit. Samba Diallo hésita, ne sachant que dire. Son regard chercha celui de Pierre-Louis, mais le vieil homme paraissait attendre aussi.

— C'est difficile, prononça enfin Samba Diallo. Ici, on dirait que je vis moins pleinement qu'au Pays des Diallobé. Je ne sens plus rien, directement... Vous savez, tout ceci, à la réflexion, me paraît ridicule. Il se peut, après tout, que, plus que mon pays, ce que je regrette, ce soit mon enfance.

– Essayez toujours. Dites comment se présente votre nostalgie.

– Il me semble qu'au pays des Diallobé l'homme est plus proche de la mort, par exemple. Il vit plus dans sa familiarité. Son existence en acquiert comme un regain d'authenticité. Là-bas, il existait entre elle et moi une intimité, faite tout à la fois de ma terreur et de mon attente. Tandis qu'ici, la mort m'est redevenue une étrangère. Tout la combat, la refoule loin des corps et des esprits. Je l'oublie. Quand je la cherche avec ma pensée, je ne vois qu'un sentiment desséché, une éventualité abstraite, à peine plus désagréable pour moi que pour ma compagnie d'assurances.

– En somme, dit Marc en riant, vous vous plaignez de ne plus vivre votre mort.

L'on rit. Samba Diallo aussi, tout en acquiesçant.

– Il me semble encore qu'en venant ici, j'ai perdu un mode de connaissance privilégié. Jadis, le monde m'était comme la demeure de mon père : toute chose me portait au plus essentiel d'elle-même, comme si rien ne pouvait être que par moi. Le monde n'était pas silencieux et neutre. Il vivait. Il était agressif. Il diluait autour de lui. Aucun savant jamais n'a eu de rien la connaissance que j'avais alors de l'être.

Après un court silence, il ajouta :

– Ici, maintenant, le monde est silencieux, et je ne résonne plus. Je suis comme un balafon crevé, comme un instrument de musique mort. J'ai l'impression que plus rien ne me touche.

Le rire de Pierre-Louis retentit, rocailleux et bref.

– Ha ! Ha ! Ha ! Je sais ce que c'est. Ce n'est pas l'absence matérielle de votre terroir qui vous tient en haleine. C'est son absence spirituelle. L'Occident se passe de vous, l'on vous ignore, vous êtes inutile, et cela, quand vous-même ne pouvez plus vous passer de l'Occident. Alors, vous faites le complexe du Mal Aimé. Vous sentez que votre position est précaire.

Samba Diallo regarda Pierre-Louis, et, cette fois, les yeux d'Adèle ne le retinrent pas. Le vieux bonhomme était grave, presque triste. « Je sais maintenant la raison de la folie de cet homme. Il a été trop lucide durant une vie trop longue. »

– Il n'y a que des intellectuels pour souffrir de cela, trancha le capitaine Hubert. Du moment que l'Occident accepte de donner, qu'importe s'il refuse de prendre ? Moi, ça ne me gêne pas.

– Non, objecta Samba Diallo. C'est, au contraire, cette attitude, capitaine, qui me paraît impossible autrement qu'en théorie. Je ne suis pas un pays des Diallobé distinct, face à un Occident distinct, et appréciant d'une tête froide ce que je puis lui prendre et ce qu'il faut que je lui laisse en contrepartie. Je suis devenu les deux. Il n'y a pas une tête lucide entre deux termes d'un choix. Il y a une nature étrange, en détresse de n'être pas deux.

Mais Marc s'adressait à Pierre-Louis :

– J'aurais voulu trouver un argument pour réfuter ce que tu viens de dire. Car, en un sens, il me semble que tu nous as condamnés. Comment l'Occident aurait-il pu se passer de nous si notre message n'avait pas été superflu, de quelque façon ? L'Occident poursuit victorieusement son investissement du réel. Il n'y a aucune faille dans son avancée. Il n'est pas d'instant qui ne soit rempli de cette victoire. Il n'est pas jusqu'à ce loisir de philosopher, dont nous usons présentement, que nous ne devions à l'efficace vigueur de l'effort par lequel il tient le monde sur nos têtes, comme un abri dans la tempête. Dès lors, peut-il rien exister, hors cet effort, qui ait un sens ? Je vois bien ce qui nous distingue d'eux. Notre premier mouvement n'est pas de vaincre comme ils font, mais d'aimer. Nous avons aussi notre vigueur qui nous place d'emblée au cœur intime de la chose. La connaissance que nous en avons est si intense que sa plénitude nous enivre. Nous avons alors une sensation de victoire. Mais où est cette victoire ? L'objet est intact, l'homme n'est pas plus fort.

Samba Diallo s'agita.

– Moi je voyais, au propos de votre père, une autre portée, comment dirais-je ?... plus historique. La conséquence en serait moins désespérée. Ce n'est pas dans une différence de nature, entre l'Occident et ce qui n'est pas l'Occident, que je verrais l'explication de cette contrariété de leurs destins. S'il y avait une différence de nature, il en eût résulté en effet que, si l'Occident a raison, et parle haut, nécessairement ce qui n'est pas l'Occident a tort et doit se taire ; que si l'Occident sort de ses limites et colonise, cette situation est dans la nature des choses et est définitive...

– En effet, s'écria Pierre-Louis.

Samba Diallo se mit à sourire alors, sollicité soudain par un souvenir.

– J'ai une vieille cousine, dit-il, chez qui la réalité ne perd jamais ses droits. On l'appelle la Grande Royale. Elle n'est pas encore revenue de la surprise où l'ont plongée la défaite et la colonisation des Diallobé. Je ne dois d'être allé à l'école, et d'être ici ce soir, qu'à son désir de trouver une explication. Le jour où je prenais congé d'elle, elle me disait encore : « Va savoir chez eux comment l'on peut vaincre sans avoir raison. »

– Voilà une femme qui ne s'en laisse pas conter, au moins. Elle doit être une bien grande princesse...

Ce disant, Pierre-Louis coulait un regard de biais vers la princesse baguée, laquelle s'était désintéressée de la causerie et vaquait avec Adèle, entre la table et la cuisine.

– Vous disiez donc ? intervint Marc s'adressant à Samba Diallo.

Il paraissait pressé de la suite.

– Je ne pense pas que cette différence existe dans la nature. Je la crois d'artifice, accidentelle. Seulement, l'artifice a forci dans le temps recouvrant la nature. Ce qui nous manque tant en Occident, à nous qui venons de la périphérie, c'est peut-être cela, cette nature originelle où éclate notre identité avec eux. La conséquence est que la Grande Royale a raison : leur victoire sur nous est aussi un accident. Ce sentiment de notre absence qui nous pèse ne signifie pas que nous soyons inutiles, mais, au contraire, établit notre nécessité et indique notre tâche la plus urgente, qui est le déblaiement de la nature. Cette tâche est anoblissante.

Le capitaine Hubert s'agita dans son fauteuil.

– J'avoue que je ne comprends pas. Tout ceci me paraît trop... comment dire... trop hors de la réalité. La réalité, c'est que nous avons un grand besoin d'eux et qu'ils sont à notre disposition. Ou nous à la leur, peu importe.

– Vous vous trompez, capitaine. Il importe beaucoup, dit Samba Diallo, exaspéré.

Mais il eut honte de son emportement, et poursuivit, plus calmement.

– Je comprends bien votre point de vue et l'admets en un sens. Mais excusez-moi de vous dire qu'il me paraît insuffisant. Vous prétendez que le grand besoin où nous sommes de l'Occident ne nous laisse plus le choix, et autorise seulement la soumission, jusqu'au jour où nous aurons acquis leur maîtrise.

– Puisque vous le comprenez si bien, dit le capitaine, en souriant, expliquez-moi pourquoi votre génération ne se fait pas une raison et paraît supporter si mal cette idée.

– C'est que, si nous l'acceptons et nous en accommodons, nous n'aurons jamais la maîtrise de la chose. Car nous n'aurions pas plus de dignité qu'elle. Nous ne la dominerions pas. L'avez-vous remarqué ? C'est le même geste de l'Occident, qui maîtrise la chose et nous colonise tout à la fois. Si nous n'éveillons pas l'Occident à la différence qui nous sépare de la chose, nous ne vaudrons pas plus qu'elle, et ne la maîtriserons jamais. Et notre échec serait la fin du dernier humain de cette terre.

La princesse baguée survint bruyamment.

– Vous autres, nouveaux nègres, vous êtes dégénérés, attaqua-t-elle. Vous ne savez plus manger. Vous ne savez plus porter attention aux femmes. Votre vie se passe en débats interminables et forcenés. Mangez donc ! Quand vous aurez retrouvé cela, vous aurez tout retrouvé.

Pierre-Louis essayait, par des manœuvres détournées, d'avoir Samba Diallo à côté de lui, à table. La princesse le remarqua.

– Venez ici, jeune homme. Vous vous mettrez entre Adèle et moi.

– Comme vous avez raison, madame, lui dit Samba Diallo. Nous ne vivons plus. Nous sommes vides de substance et notre tête nous dévore. Nos ancêtres étaient plus vivants. Rien ne les divisait d'eux-mêmes.

– N'est-ce pas ! se réjouit la princesse. Les hommes étaient pleins. Ils n'avaient pas vos pensées moroses.

– C'est, affirma Samba Diallo, qu'ils avaient des richesses que nous perdons chaque jour un peu plus. Ils avaient Dieu. Ils avaient la famille qui n'était qu'un seul être. Ils possédaient intimement le monde. Tout cela, nous le perdons petit à petit, dans le désespoir.

– Je suis bien de ton avis, Samba Diallo, dit Marc en fixant sur lui un regard pathétique. Je suis bien de ton avis, répéta-t-il plus bas, pensivement.

Le capitaine éclata de rire et Samba Diallo tressaillit.

– Et toi, ma petite Adèle ? Tu es aussi de leur avis... n'est-ce pas ? demanda-t-il.

Adèle sourit d'un air confus, regarda Samba Diallo, puis baissa la tête sans répondre.

Mais le capitaine, abandonnant sa fille, s'était tourné vers Marc.

Samba Diallo eut conscience qu'on lui parlait. C'était Adèle, à la gauche de qui il était placé. La jeune fille avait réussi à vaincre le fort sentiment de timidité qui l'avait paralysée devant Samba Diallo, depuis qu'elle lui avait ouvert la porte.

– Je voulais dire... commença-t-elle.

Samba Diallo l'encouragea d'un sourire et se pencha vers elle, car elle parlait bas, attentive à ne pas gêner la conversation qui se poursuivait entre les hommes.

– Je n'ai jamais été en Afrique et j'aimerais tant y aller. Il me semble que j'y apprendrais très vite à « comprendre » les choses comme vous. Elles doivent être tellement plus vraies, vues de cette façon.

– Peut-être ne faut-il pas, justement, répondit-il. C'est pour apprendre à « comprendre » autrement que nous sommes ici, nous tous qui ne sommes pas d'Occident. C'est à quoi vous devez d'être née ici.

– Mais je ne veux pas ! Ici, tout est tellement aride. Vous savez, j'ai très bien compris, tout à l'heure, quand vous parliez. Comme vous aviez raison !

Ses grands yeux étaient fixés sur Samba Diallo, pleins d'espoir, comme si elle eût attendu qu'il lui donnât tout de suite ce pouvoir de « comprendre » les choses et les êtres qu'il avait évoqué.

« Sentirait-elle vraiment "l'exil", cette fille née aux bords de la Seine ? Cependant, elle n'a jamais connu qu'eux. Et son oncle Marc ? À mes premiers mots, ils se sont reconnus des nôtres. Le soleil de leur savoir ne peut-il vraiment rien à l'ombre de notre peau ? »

Samba Diallo était loin de se douter de l'effet considérable que ses paroles – ces aveux qu'il avait regrettés dès qu'il les avait proférés – avaient produit sur « l'exilée des bords de la Seine ». L'exil d'Adèle, à bien des égards, était plus dramatique même que le sien. Lui, du moins, n'était métis que par sa culture. L'Occident s'était immiscé en lui, insidieusement, avec les pensées dont il s'était nourri chaque jour, depuis le premier matin où, à L., il avait été à l'école étrangère. La résistance du pays des Diallobé l'avait averti des risques de l'aventure occidentale.

L'exemple toujours vivant de son pays était là, enfin,

pour lui prouver, dans ses moments de doute, la réalité d'un univers non occidental. Adèle n'avait pas son pays des Diallobé. Lorsqu'il lui arrivait de percevoir en elle un sentiment ou une pensée qui lui parût trancher d'une certaine façon sur la toile de fond de l'Occident, sa réaction avait été, longtemps, de s'en écarter avec terreur, comme d'une monstruosité. Loin que cette ambiguïté décrût, elle s'accentuait au contraire de sorte que, progressivement, Adèle s'installa dans la conviction qu'elle était anormale de quelque manière. Ce soir, en parlant sans retenue, comme il l'avait fait, de ce que lui-même n'était pas loin de considérer comme une monstruosité honteuse, Samba Diallo venait, sans le savoir, de donner figure humaine à cette partie d'elle que la jeune fille croyait sans visage.

— Adèle, appela Samba Diallo.

— Oui.

— Je crois que je les hais.

Elle lui prit le bras et l'obligea à marcher.

L'automne avait mûri, puis pelé les frondaisons des arbres. Un petit vent aigrelet chassait les promeneurs des quais. Adèle poussa Samba Diallo vers le passage clouté. Ils traversèrent la chaussée et se dirigèrent vers un café.

— Je ne les hais pas comme, peut-être, tu penses, à la manière de ton grand-père, par exemple. Ma haine est plus compliquée. Elle est douloureuse. C'est de l'amour rentré.

Ils pénétrèrent dans le café presque vide et prirent une table, dans un coin.

— Que désirez-vous qu'on vous serve ?

Le garçon attendait. Ils commandèrent deux cafés et demeurèrent silencieux, jusqu'à son retour. Ayant servi, il partit.

— Ma haine est une rédhibition d'amour. Je les ai aimés trop tôt, imprudemment, sans les connaître assez. Tu comprends ? Ils sont d'une nature étrange. Ils n'inspirent pas des sentiments simples. Nul ne devrait se lier à eux sans les avoir bien observés, au préalable.

— Oui. Mais ils n'en laissent pas le temps aux gens qu'ils conquièrent.

— Alors, les gens qu'ils conquièrent devraient se tenir sur leurs gardes. Il ne faut pas les aimer. Les haines les plus empoisonnées sont celles qui naissent sur de vieilles amours. Est-ce que tu ne les hais pas ?

— Je ne sais pas, répondit-elle.

— Je crois que tu les aimes. Il me semble que, de prime abord, on ne peut pas ne pas les aimer, malgré leurs procédés.

— Raconte-moi comment ils t'ont conquis, demanda-t-elle.

Elle en profita pour quitter la chaise qu'elle occupait, et s'installa tout contre Samba Diallo, sur la banquette.

– Je ne sais pas trop. C'est peut-être avec leur alphabet. Avec lui, ils portèrent le premier coup rude au pays des Diallobé. Longtemps, je suis demeuré sous la fascination de ces signes et de ces sons qui constituent la structure et la musique de leur langue. Lorsque j'appris à les agencer pour former des mots, à agencer les mots pour donner naissance à la parole, mon bonheur ne connut plus de limites.

« Dès que je sus écrire, je me mis à inonder mon père de lettres que je lui écrivais et lui remettais en main propre, afin d'éprouver mon savoir nouveau, et de vérifier, le regard fixé sur son visage pendant qu'il lisait, qu'avec mon nouvel outil, je pouvais lui transmettre ma pensée sans ouvrir la bouche. J'avais interrompu mes études chez le maître des Diallobé au moment précis où il allait m'initier enfin à la compréhension rationnelle de ce que, jusque-là, je n'avais fait que réciter, avec émerveillement il est vrai. Avec eux, voilà que, subitement, j'entrais de plain-pied dans un univers où tout était, de prime abord, compréhension merveilleuse et communion totale...

– Le maître des Diallobé, quant à lui, avait pris tout son temps. Voulant t'apprendre Dieu, il croyait avoir, pour cela, jusqu'à sa mort.

– C'est cela même, Adèle. Mais ils... Mais ils s'interposèrent et entreprirent de me transformer à leur image. Progressivement, ils me firent émerger du cœur des choses et m'habituèrent à prendre mes distances du monde.

Elle se serra davantage contre lui.

– Je les hais, dit-elle.

Samba Diallo tressaillit et la regarda. Elle était adossée de tout le poids de son corps sur lui et regardait la rue, les yeux mi-clos.

Un trouble étrange envahit Samba Diallo. Doucement, il la repoussa. Elle cessa de s'adosser à lui, et lui fit face.

– Il ne faut pas, Adèle, dit-il.

– Il ne faut pas quoi ?

– Il ne faut pas les haïr.

– Alors, tu dois m'apprendre à pénétrer dans le cœur du monde.

– Je ne sais pas si on retrouve jamais ce chemin, quand on l'a perdu, dit-il, pensivement.

Il sentit qu'elle s'écartait de lui, et la regarda. Maintenant, elle pleurait silencieusement. Il lui prit la main, mais elle se leva.

– Il faut que je rentre maintenant, dit-elle.

– Je t'accompagne.

Ils sortirent du café et Samba Diallo héla un taxi. Ayant déposé Adèle à sa porte, il rebroussa chemin, à pied, vers le métro.

Ce fut là que, lorsque la rame eut démarré, son souvenir, soudain, lui présenta un visage. Il le vit avec une intensité presque hallucinante : là, en face de lui, dans la lumière jaune et parmi la foule entassée, le visage du maître des Diallobé avait surgi. Samba Diallo ferma les yeux, mais le visage ne bougea pas.

« Maître, appela-t-il en pensée, que me reste-t-il ? Les ténèbres me gagnent. Je ne brûle plus au cœur des êtres et des choses. »

Le visage du maître ne bougeait pas. Il ne riait pas, il ne se fâchait pas. Il était grave et attentif. Samba Diallo, de nouveau, l'invoqua.

« Toi, qui ne t'es jamais distrait de la sagesse des ténèbres, qui, seul, détiens la Parole, et as la voix forte suffisamment pour rallier et guider ceux qui se sont perdus, j'implore en grâce ta clameur dans l'ombre, l'éclat de ta voix, afin de me ressusciter à la tendresse secrète... »

Mais le visage avait disparu.

Le lendemain, la lettre du chevalier parvint à Samba Diallo.

« Mon opinion est que tu reviennes. Peu importe que tu n'aies pas mené tes études au terme que tu aurais voulu.

« Il est grand temps que tu reviennes, pour réapprendre que Dieu n'est commensurable à rien, et surtout pas à l'Histoire, dont les péripéties ne peuvent rien à Ses attributs. Je sais que l'Occident, où j'ai eu le tort de te pousser, a là-dessus une foi différente, dont je reconnais l'utilité, mais que nous ne partageons pas. Entre Dieu et l'homme, il n'existe pas la moindre consanguinité, ni je ne sais quelle relation historique. Si cela était, nos récriminations eussent été admissibles; nous eussions été recevables de Lui faire grief de nos tragédies qui eussent manifestement révélé Ses imperfections. Mais cela n'est pas. Dieu n'est pas notre parent. Il est tout entier en dehors du flot de chair, de sang et d'histoire qui nous relie. Nous sommes libres ! Voilà pourquoi il me paraît illégitime de fonder l'apologétique par l'Histoire et insensé de vitupérer Dieu en raison de notre misère.

« Cependant, ces errements, quelle que soit leur gravité intrinsèque, ne m'auraient pas inquiété outre mesure, telle est leur généralité, si, en même temps, tu n'avais pas avoué un trouble plus personnel et plus profond. Tu crains que Dieu ne t'ait abandonné, parce que tu ne le sens plus avec autant de plénitude que dans le passé et, comme il l'a promis à ses fidèles, « plus proche que l'artère carotide ». Ainsi, tu n'es pas loin de considérer qu'il t'a trahi.

« Mais tu n'as pas songé qu'il se puisse que le traître, ce fût toi. Et pourtant... Mais réponds plutôt : donnes-tu à Dieu toute sa place, dans tes pensées et dans tes actes ? T'efforces-tu de mettre tes pensées en conformité avec Sa loi ? Il ne s'agit pas de lui faire allégeance une fois pour toutes, par une profession de foi générale et théorique. Il s'agit que tu t'efforces de conformer *chacune* de tes pensées à l'idée que tu te fais de son ordre. Le fais-tu ?

« Je croyais t'avoir suffisamment entretenu des mérites de la pratique religieuse. L'Occident, où tu vis, croit que Dieu accorde ou retire la foi comme il lui plaît. Je ne discuterai pas ce point de vue que je partage. Mais je crois aussi que la toute-puissance de Dieu créateur est telle, justement, que rien ne saurait y contredire, pas même l'affirmation de notre libre détermination. Ton salut, la présence en toi de Dieu vivant dépendent de toi. Tu les obtiendras si tu observes rigoureusement, d'esprit et de corps, sa loi, que la religion a codifiée.

« Mais, précisément, c'est là, quand il ne s'agit plus de philosopher, que les esprits forts trébuchent piteusement et s'ensablent. Et toi qui, d'une pensée vigoureuse, te hausses à la compréhension de Dieu et prétends Le prendre en défaut, sais-tu seulement le chemin de la mosquée ? Tu cloueras Dieu au pilori quand tu L'auras quêté, comme Il l'a dit, et qu'il ne sera pas venu... »

– Maître, il est l'heure de prier, allons à la mosquée, dit le fou en saisissant Samba Diallo au menton, comme pour le forcer à le regarder.

– Mais non, je ne suis pas le maître, tu ne vois pas que je ne suis pas le maître ? Le maître est mort.

– Oui, maître, allons à la mosquée.

Samba Diallo eut un geste las.

– Et puis, je ne vais pas à la mosquée. Je t'ai déjà dit de ne plus m'appeler à la prière.

– Oui, maître des Diallobé. Tu as raison. Tu es fatigué. Ils sont si fatigants, n'est-ce pas ? Repose-toi. Quand tu retrouveras le repos, nous irons à la mosquée. N'est-ce pas ? N'est-ce pas, dis ? répéta-t-il en saisissant de nouveau le menton de Samba Diallo.

Excédé, Samba Diallo le repoussa légèrement.

Cela suffit pour lui faire perdre l'équilibre, et il tomba assez grotesquement. Samba Diallo sentit une telle pitié l'envahir qu'il se précipita, releva le fou et le serra sur sa poitrine.

L'homme éclata en sanglots, se dégagea de l'étreinte de Samba Diallo, le regarda les yeux pleins de larmes et dit :

– Tu vois, tu es le maître... Tu es le maître des Diallobé. Je m'en vais à la mosquée, je reviendrai. Attends-moi.

Il tourna le dos et partit, la démarche sautillante et légère.

En dépit de la redingote qui le sanglait et des amples boubous blancs qu'il portait dessous, on sentait que sa silhouette s'était amenuisée. Le cou et la tête qui émergeaient de la masse des vêtements étaient graciles et minces. Il se dégageait de tout l'être du petit bonhomme une sérénité et une mélancolie poignantes. Il disparut derrière la palissade.

Pour le fou, le vieux maître des Diallobé n'était pas mort, bien qu'il eût été le témoin le plus constant de l'agonie du vieil homme, deux mois auparavant.

Un matin, il était arrivé à la demeure, depuis longtemps silencieuse, de son ami.

À son entrée dans la chambre, il avait vu le maître prier à la manière des agonisants. Il ne se levait pas. Assis sur son tapis, face à l'Est, il ébauchait seulement et n'avait plus la force d'achever les gestes de la prière. Le fou était demeuré à la porte, fasciné par cette prière brisée, mimique incongrue et tragique. Le fou avait attendu que le maître eût fini.

— Tu vois, lui avait dit son ami, couvert de sueur et hoquetant. Tu vois jusqu'où a été la grâce de mon Dieu. Il m'a donné de vivre, jusqu'à l'heure... de le prier de cette façon... qu'Il avait prévue de toute éternité et codifiée... Tu vois... j'ai cette force. Regarde, oh, regarde !

Et le maître avait recommencé sa prière infirme.

Le fou s'était précipité dehors et avait couru d'une traite jusque chez le chef. Il l'avait trouvé en audience, avait enjambé les hommes assis en quête de justice.

— Je crois... que l'heure est arrivée pour le maître.

Le chef avait baissé la tête et, lentement, prononcé la chahâda avant de se lever.

Le fou, cependant, était reparti. Dans la chambre du maître, il avait trouvé sa famille, ainsi que Dembel. Traversant l'assistance jusqu'à son ami étendu sur une natte, il l'avait soulevé à demi et l'avait appuyé sur sa poitrine. Ses larmes, lentement, tombaient sur le visage en sueur de l'agonisant.

— Tu vois, Il est là, mon Ami est là. Je savais bien que c'était la grande clameur de ma vie qui te cachait, ô mon Créateur. Maintenant que le jour baisse, je te vois. Tu es là.

La chambre achevait de se remplir.

Les arrivants s'asseyaient silencieusement. Puis la maison s'emplit aussi, et les gens s'assirent dans les ruelles avoisinantes. De toutes parts, on accourut. Le village entier ne fut plus bientôt qu'une immense assemblée d'hommes assis et silencieux.

— Maître, emmène-moi, ne me laisse pas ici, chuchotait le fou, en berçant l'agonisant d'un lent mouvement de son buste.

— Mon Dieu, je te remercie... de cette grâce que tu me fais... de me soutenir de ta présence... de m'emplir ainsi que tu fais maintenant, avant même que je meure.

— Chut... tais-toi. Mais tais-toi donc, on t'écoute, dit le fou en lui mettant brutalement la main à la bouche.

En même temps, il tournait autour de lui un regard empli de larmes, comme pour s'assurer que nul n'avait entendu.

Aucune personne de l'assistance, pas même le chef des Diallobé, accroupi contre le maître et plongé dans la prière, n'osait intervenir pour écarter le fou.

Soudain, le maître se raidit, prononça le nom de Dieu puis, lentement, parut se relâcher. Le fou le déposa à terre, sortit sans un regard à personne, et s'en alla.

Alors, au-dehors, le grand *tabala*[1] funèbre retentit. Le village silencieux sut que le maître avait cessé de vivre.

Nul ne vit le fou à l'enterrement. Il ne reparut que le lendemain, calme et rasséréné, niant que le maître fût mort et refusant néanmoins d'aller lui rendre visite à sa demeure, comme il le faisait quotidiennement.

Quand, peu de temps après, Samba Diallo revint, le fou attendit, pour lui rendre visite, que les délégations venues de tout les pays fussent passées. Il arriva seul et trouva Samba Diallo étendu sur un lit de rotin, dans la cour de la demeure du chef, entouré des membres de sa famille. Il s'arrêta à quelques pas, regarda longuement Samba Diallo qu'il voyait pour la première fois, puis arriva jusqu'à lui et s'assit à terre.

— Maître des Diallobé, te voilà revenu ? C'est bien.

---

1 Tambour annonciateur des grandes nouvelles.

L'on rit autour d'eux.

– Mais non, je ne suis pas le maître des Diallobé, je suis Samba Diallo.

– Non, dit le fou. Tu es le maître des Diallobé.

Il embrassa la main de Samba Diallo.

– On n'y peut rien, dit le chef en souriant. Samba Diallo retira sa main qu'il avait sentie humide. Il releva la tête baissée du fou, et vit qu'il pleurait.

– Il est comme cela depuis la mort du maître, dit le chef. Il pleure tout le temps.

Samba Diallo caressa la tête du petit homme assis à terre.

– Je viens du pays des Blancs, lui dit-il. Il paraît que tu y as été. Comment était-ce alors ?

Il y eut une lueur passionnée dans le regard du fou.

– C'est vrai ? Tu veux que je te dise ?

– Oui, dis-moi.

– Maître, ils n'ont plus de corps, ils n'ont plus de chair. Ils ont été mangés par les objets. Pour se mouvoir, ils chaussent leurs corps de grands objets rapides. Pour se nourrir, ils mettent entre leurs mains et leur bouche des objets en fer... C'est vrai ! ajouta-t-il soudain, se tournant d'un air agressif vers l'assistance, comme si on l'avait contredit.

– C'est bien vrai, dit Samba Diallo, pensivement.

Le fou, rasséréné, le regarda en souriant.

À l'horizon, le soleil couchant avait teint le ciel de pourpre sanglante. Pas un souffle n'agitait les arbres immobiles. On n'entendait que la grande voix du fleuve, répercutée par ses berges vertigineuses. Samba Diallo tourna son regard vers cette voix et vit, au loin, la falaise d'argile. Il se souvint qu'en son enfance, il avait longtemps cru que cette immense crevasse partageait l'univers en deux parties que soudait le fleuve.

Le fou, qui était loin devant, revint sur ses pas, le prit par le bras et l'entraîna.

Soudain, il comprit où le fou le conduisait. Son cœur se mit à battre. C'était bien le petit chemin où ses pieds nus s'écorchaient jadis aux épines. C'était bien la même termitière désertée de ses habitants. Au détour, ce serait... ce serait la Vieille Rella et la Cité des Morts.

Samba Diallo s'arrêta. Le fou voulut le tirer et, n'y réussissant pas, le lâcha et courut tout seul. Lentement, Samba Diallo suivit. Le fou dépassa le mausolée rénové de la Vieille Rella, courut à travers les tombes et brusquement s'accroupit auprès de l'une d'elles.

Samba Diallo s'immobilisa. Il vit que le fou priait.

– Tu... tu n'as pas prié, remarqua le bonhomme haletant.

C'était la même tombe, la même orientation, le même monticule oblong que partout alentour. Rien ne distinguait le tertre du maître des Diallobé des autres tertres.

Samba Diallo sentit qu'une houle profonde montait en lui, le submergeait, lui humectait les yeux, les narines, faisait trembler sa bouche. Il se détourna. Le fou vint se planter devant lui, et lui saisit le menton, avec violence.

– On n'oblige pas les gens à prier. Ne me dis plus jamais de prier.

Le fou scruta son visage, puis, lentement, sourit.

– Oui, maître des Diallobé. Tu as raison. Tu es encore fatigué. Quand tu seras reposé de leur fatigue, tu prieras.

« Maître des Diallobé, mon maître, pensa Samba Diallo, je sais que tu n'as plus de chair, tu n'as plus d'yeux ouverts dans l'ombre. Je sais, mais grâce à toi, je n'ai pas peur.

« Je sais que la terre a absorbé ce corps chétif que je voyais naguère. Je ne crois pas, comme tu me l'avais appris quand j'étais enfant, qu'Azraël, l'ange de la mort, eût fendu la terre en dessous, pour venir te chercher. Je ne crois pas qu'en bas, sous toi, il y ait un grand trou par lequel tu t'en es allé avec ton terrible compagnon. Je ne crois pas... je ne crois plus grand-chose, de ce que tu m'avais appris. Je ne sais pas ce que je crois. Mais l'étendue est tellement immense de ce que je ne sais pas, et qu'il faut bien que je croie... »

Samba Diallo s'assit à terre.

« Comme je voudrais encore que tu fusses ici, pour m'obliger à croire et me dire quoi ! Tes bûches ardentes sur mon corps... je me souviens et je comprends. Ton Ami, Celui qui t'a appelé à Lui, ne s'offre pas. Il se conquiert. Au prix de la douleur. Cela je le comprends encore. C'est peut-être pourquoi tant de gens, ici et ailleurs, ont combattu et sont morts joyeusement... Oui, peut-être qu'au fond c'était cela... En mourant parmi la grande clameur des combats livrés au nom de ton Ami, c'est eux-mêmes que tous ces combattants voulaient chasser d'eux-mêmes, afin de se remplir de Lui. Peut-être, après tout... »

Samba Diallo sentit qu'on le secouait. Il leva la tête.

– L'ombre descend, voici le crépuscule, prions, dit le fou, gravement.

Samba Diallo ne répondit pas.

– Prions, oh, prions ! implora le fou. Si nous ne prions pas immédiatement, l'heure passera et tous les deux ne seront pas contents.

– Qui ?

– Le maître et son Ami. Prions, oh, prions !

Il avait saisi Samba Diallo à l'encolure de son boubou, et le secouait.

– Prions, dis, prions.

Les veines de son visage saillaient. Il était devenu hagard.

Samba Diallo le repoussa et se leva pour s'en aller.

– Tu ne peux pas t'en aller ainsi, sans prier, lui cria le fou. Tu ne peux pas !

« Peut-être, après tout. Contraindre Dieu... Lui donner le choix, entre son retour dans votre cœur, ou votre mort, au nom de Sa gloire. »

– Tu ne peux pas t'en aller. Arrête, oh, arrête ! Maître...

« ... Il ne peut pas éluder le choix, si je L'y contrains vraiment, du fond du cœur, avec toute ma sincérité... »

– Dis-moi que tu prieras enfin demain, et je te laisserai...

Tout en parlant, le fou s'était mis en marche derrière Samba Diallo, fouillant fébrilement dans la profondeur de sa redingote.

« Tu ne saurais m'oublier comme cela. Je n'accepterai pas, seul de nous deux, de pâtir de Ton éloignement. Je n'accepterai pas. Non... »

Le fou était devant lui.

– Promets-moi que tu prieras demain.

– Non... je n'accepte pas...

Sans y prendre garde, il avait prononcé ces mots à haute voix.

C'est alors que le fou brandit son arme, et soudain, tout devint obscur autour de Samba Diallo.

Tout près une voix parla.

– Ma présence maintenant te trouble.

Délicieux accueil que fait la vallée desséchée au flot revenu, tu réjouis le flot.

– Je t'attendais. J'ai longtemps attendu. Je suis prêt.

– As-tu la paix?

– Je n'ai pas la paix. Je t'ai attendu longtemps.

– Tu sais que je suis l'ombre.

– J'ai choisi. Je t'ai choisi, mon frère d'ombre et de paix. Je t'attendais.

– L'ombre est profonde, mais elle est la paix.

– Je la veux.

– L'apparence et ses reflets brillent et pétillent. Ne regretteras-tu pas l'apparence et ses reflets?

– Je te veux.

– Dis, ne regretteras-tu rien?

– Non, je suis las de cette rondeur fermée. Ma pensée toujours me revient, réfléchie par l'apparence, lorsque, pris d'inquiétude, je l'ai jetée comme un tentacule.

– Mais elle te revient. Vers quelque côté que tu tournes, c'est ton propre visage que tu vois, mais rien que lui. Toi seul emplis la rondeur fermée. Tu es roi...

– La maîtrise de l'apparence est apparence.

– Alors viens. Oublie, oublie le reflet.

Épands-toi, tu es ouverture. Vois comme l'apparence craque et cède, vois!

– Plus loin, plus loin encore!

– Lumière et bruit, forme et lumière, tout ce qui s'oppose et agresse, soleils aveuglants de l'exil, vous êtes rêves oubliés.

– Où es-tu? Je ne te vois plus. Il n'y a que cette turgescence qui sourd en moi, comme fait l'eau nouvelle dans le fleuve en crue.

– Sois attentif. Voici que s'opère la grande réconciliation. La lumière brasse l'ombre, l'amour dissout la haine...

– Où es-tu ? Je n'entends rien, que cet écho en moi qui parle quand tu n'as pas fini de parler.

– Sois attentif, car voici que tu renais à l'être. Il n'y a plus de lumière, il n'y a plus de poids, l'ombre n'est plus. Sens comme il n'existe pas d'antagonismes...

– Plus loin, plus loin encore...

– Sens comme ta pensée plus ne te revient comme un oiseau blessé, mais infiniment se déploie, à peine l'as-tu osée !

– Sagesse, je te pressens ! Lumière singulière des profondeurs, tu ne contournes pas, tu pénètres.

– Sois attentif, car voici la vérité : tu n'es pas ce rien qu'enferment tes sens. Tu es l'infini qu'à peine arrête ce qu'enferment tes sens. Non, tu n'es pas cette inquiétude close qui crie parmi l'exil.

– Je suis deux voix simultanées. L'une s'éloigne et l'autre croît. Je suis seul. Le fleuve monte ! Je déborde... où es-tu ? Qui es-tu ?

– Tu entres où n'est pas l'ambiguïté. Sois attentif, car te voilà arrivé... Te voilà arrivé.

– Salut ! Goût retrouvé du lait maternel, mon frère demeuré au pays de l'ombre et de la paix, je te reconnais. Annonciateur de fin d'exil, je te salue.

– Je te ramène ta royauté. Voici l'instant, sur lequel tu régnas...

– L'instant est le lit du fleuve de ma pensée. Les pulsations des instants ont le rythme des pulsations de la pensée ; le souffle de la pensée se coule dans la sarbacane de l'instant. Dans la mer du temps, l'instant porte l'image du profil de l'homme, comme le reflet du kaïlcédrat sur la surface brillante de la lagune. Dans la forteresse de l'instant, l'homme, en vérité, est roi, car sa pensée est toute-puissance, quand elle est. Où elle a passé, le pur azur cristallise en formes. Vie de l'instant, vie sans âge de l'instant qui dure, dans l'envolée de ton élan indéfiniment l'homme se crée. Au cœur de l'instant, voici que l'homme est immortel, car l'instant est infini, quand il est. La pureté de l'instant est faite de l'absence du temps. Vie de l'instant, vie sans âge de l'instant qui règne, dans l'arène lumineuse de ta durée, infiniment l'homme se déploie. La mer ! Voici la mer ! Salut à toi, sagesse retrouvée, ma victoire ! La limpidité de ton flot est attente de mon regard. Je te regarde, et tu durcis dans l'Être. Je n'ai pas de limite. Mer, la limpidité de ton flot est attente de mon regard. Je te regarde, et tu reluis, sans limites. Je te veux, pour l'éternité.

PARCOURS 4

CHAPITRE V

COMPRENDRE

1. Expliquez quelles dénotations et quelles connotations sont attachées aux mots et expressions suivants : *apparition* (p. 146) ; *auréolait* (p. 146) ; *rehaussait* (p. 146) ; *jais* (p. 146) ; *le teint chaud de soleil couchant du cou* (p. 146) ; *sa sveltesse soulignait le poids d'une gorge ferme* (p. 146) ; *le soleil rouge du visage (p. 146) ; le reflet tour à tour retenu et offert du sourire timide* (p. 146) ; *le lent ondoiement du buste qu'animait le rythme de jambes longues* (p. 146). Peut-on parler d'emploi métaphorique du vocabulaire ? Montrez-le.

2. Ce portrait permet-il de comprendre le sentiment qu'a éveillé la vue de la jeune fille Samba Diallo ? Quels autres mots, non cités, le prouvent ?

3. Expliquez et justifiez l'emploi des expressions suivantes : *cette impression poignante de vacuité que donne les rues de cette ville* (p. 148) ; *j'ai eu l'impression qu'il me remettait à flot, dans le courant ; vous vous plaignez de ne plus vivre votre mort* (p. 149) ; *je suis comme un balafon crevé* (p. 149) ; *tient en haleine* (p. 149) ; *notre tâche la plus urgente qui est le déblaiement de la nature* (p. 152) ; *Les hommes étaient pleins* (p. 153).

ANALYSER

1. Pourquoi, au cours de la conversation chez Pierre-Louis, Samba Diallo affirme qu'il a le sentiment de ne plus *résonner* (p. 149) ?

2. Dans la suite du dialogue Samba Diallo affirme : « Je ne suis pas un pays des Diallobé distinct, face à un Occident distinct, et appréciant d'une tête froide ce que je puis lui prendre et ce qu'il faut que je lui laisse en contrepartie. Je suis devenu les deux. » (p. 150) Qu'en pensez-vous ?

3. Marc lui rétorque : « L'Occident poursuit victorieusement son investissement du réel. Il n'y a aucune faille dans son avancée. » (p. 150) Comment justifie-t-il ce qu'il avance ici ?

4. Pour Samba : « S'il y avait une différence de nature, il en eût résulté en effet que, si l'Occident a raison, et parle haut, nécessairement ce qui n'est pas l'Occident a tort et doit se taire ; que si l'Occident sort de ses limites et colonise, cette situation est dans la nature des choses et est définitive… » (p. 151) Que signifie ce syllogisme ?

5. Lorsque Samba Diallo avait pris congé de la Grande Royale, elle lui avait dit : « Va savoir chez eux comment on peut vaincre sans avoir raison. » (p. 151) Quelles réflexions vous inspire cette injonction ?

ÉTUDIER LES PERSONNAGES

1. Vous avez déjà montré précédemment à travers l'étude du vocabulaire que Samba Diallo était attiré par Adèle, la petite-fille de Pierre Louis. Cette attirance est-elle réciproque ? Montrez-le.

2. Adèle, l'épouse de Pierre-Louis, est désignée par la périphrase « la princesse baguée » (p. 151). Cet emploi se justifie à plusieurs titres, montrez-le.

3. Le narrateur dit d'Adèle : « Adèle n'avait pas son pays des Diallobé. Lorsqu'il lui arrivait de percevoir en elle un sentiment ou une pensée qui lui parût trancher d'une certaine façon sur la toile de fond de l'Occident, sa réaction avait été, longtemps, de s'en écarter avec terreur, comme d'une monstruosité. » (p. 155) Expliquez ce sentiment.

4. De nature très austère, Samba Diallo semble dans ce chapitre lutter contre ses attirances et considérer l'amour humain comme incompatible avec sa ferveur religieuse. Qu'en pensez-vous ?

POUR ALLER PLUS LOIN

Quelle est, expliquée par Samba Diallo, la différence majeure dans le système philosophique de Pascal et celui de Descartes ? Approfondissez par des recherches les oppositions entre les deux philosophes.

ÉCRIRE

Adèle affirme « Je n'ai jamais été en Afrique, et j'aimerais tant y aller. » et Samba de lui répondre : « Peut-être qu'il ne faut, pas justement. » (p. 154)

Imaginez un voyage d'Adèle en Afrique et les sentiments que cela lui inspirerait.

RECHERCHER

L'expérience de l'exil s'accompagne souvent d'un sentiment de déracinement et fait jouer la dialectique de la perte et de l'intégration au pays d'accueil. Cette expérience complexe peut être racontée selon diverses perspectives et modalités qui mettront l'accent tantôt sur la perte ressentie et la nostalgie, tantôt sur les espoirs et difficultés de l'intégration. L'exil lui-même peut être consenti ou contraint.

Cherchez des textes d'écrivains, africains ou non, témoignant de leur l'exil et classez-les selon cette typologie. Quelle typologie pouvez-vous établir ?

CHAPITRE VI

COMPRENDRE

1. Expliquez et montrez que les deux participes sont, ici, employés métaphoriquement : *L'automne avait mûri puis pelé les frondaisons des arbres.* (p. 156)
2. Expliquez les expressions suivantes : *Ma haine est une rédhibition d'amour* (p. 156) ; *Les haines les plus empoisonnées sont celles qui naissent sur de vieilles amours* (p. 156) ; *la fascination de ces signes et de ces sons qui constituent la musique de leur langue* (p. 157) ; *j'entrais de plain-pied dans un univers* (p. 157) ; *Tu dois m'apprendre à pénétrer dans le cœur du monde* (p. 158) ; *Je ne brûle plus au cœur des êtres et des choses* (p. 158).

ANALYSER

1. Quels indices lexicaux permettent de situer tour à tour les actions, pensées ou paroles rapportées à Paris ou au pays des Diallobé.
2. « Lorsque j'appris à agencer [les signes] pour former des mots, à agencer les mots pour donner naissance à la parole, mon bonheur ne connut plus de limites. » (p. 157) Reformulez l'expression de manière à la rendre plus explicite.
3. La haine éprouvée par Samba Diallo et par Adèle est-elle de même nature ? En quels termes Samba Diallo la définit-il ?
4. Quels mots et expressions permettent de comprendre que Samba Diallo a eu une vision ?

ÉTUDIER LES PERSONNAGES

1. Le contexte narratif ne laisse-t-il pas planer une ambiguïté lorsque Samba Diallo dit à Adèle une première fois : « Il ne faut pas » (p. 158).
2. Samba et Adèle semblent très proches et cependant éloignés, montrez-le.
3. De quel personnage physiquement absent Samba Diallo semble-t-il le plus proche intellectuellement ?

POUR ALLER PLUS LOIN

Quelle différence fondamentale entre deux systèmes éducatifs, l'un traditionnel et religieux, l'autre occidental et laïc, est-elle mise ici en évidence ?
« J'avais interrompu mes études chez le maître des Diallobé au moment
précis où il allait m'initier enfin à la compréhension rationnelle de ce que
jusque là, je n'avais fait que réciter, avec émerveillement il est vrai. Avec eux,
voilà que subitement, j'entrais de plain-pied dans un univers où tout était, de
prime abord, compréhension merveilleuse et communion totale… » (p. 157)

ÉCRIRE

Quels avantages et quels inconvénients trouvez-vous à l'un et l'autre ?
Répondez à la question en organisant vos arguments étayés d'exemples
concrets.

RECHERCHER

Quels auteurs africains ont abordé cette thématique ? Cherchez des
exemples précis.

CHAPITRE VII

COMPRENDRE

Expliquez : *Dieu n'est commensurable à rien ; Entre Dieu et l'homme il n'existe pas la moindre consanguinité ; intrinsèque ; tu le sens avec plus de plénitude que par le passé* [...] *« plus proche de l'artère carotide » ; il ne s'agit pas de lui faire allégeance une fois pour toute ; notre libre détermination ; tu cloueras Dieu au pilori quand tu l'auras quêté.*

ANALYSER

Dans la lettre que le chevalier envoie à son fils, quels conseils lui donne-t-il ? Quel mode verbal est utilisé ? S'agit-il de conseils ou d'injonctions ? Justifiez.

ÉTUDIER LES PERSONNAGES

Que révèle cette lettre sur la personnalité du chevalier ? Est-il autoritaire ? Justifiez.

POUR ALLER PLUS LOIN

L'Occident, où tu vis, croit que Dieu accorde ou retire la foi comme il lui plaît. Je ne discute pas ce point de vue que je partage. Mais je crois aussi que la toute puissance de Dieu est telle, justement que rien ne saurait y contredire, pas même l'affirmation de notre libre détermination. Discutez ce point de vue.

ÉCRIRE

Imaginez la lettre que Samba Diallo envoie en réponse à son père.

CHAPITRE VIII

COMPRENDRE

1. *En dépit de la redingote qui le sanglait [...] on sentait que sa silhouette s'était amenuisée ; qu'il avait prévu de toute éternité et codifié ; sa prière infirme* (pp. 161/162). Le verbe « sanglait », la locution verbale « s'était amenuisée », l'adjectif « infirme » sont-ils employés proprement ? Expliquez leur sens d'après le contexte.
2. Quel nom s'attendrait-on à voir qualifié par l'adjectif *infirme* ? Comment s'appelle cette figure de style ?

ANALYSER

1. Le récit concerne deux moments différents. Quels mots le prouvent ? Comment s'appelle ce retour en arrière de l'action ?
2. Pourquoi, selon vous, le fou veut-il faire taire le maître des Diallobé en lui mettant la main sur la bouche.
3. Montrez que le fou a en fait conscience de la mort du maître.
4. L'enterrement du maître des Diallobé fut-il conforme à la tradition ? Quels personnages n'y assistent pas ? Pourquoi ?

ÉTUDIER LES PERSONNAGES

1. En quoi les vêtements que porte le fou, redingote et amples boubous blancs, caractérisent-ils précisément le personnage ?
2. Le fou prend-il vraiment Samba Diallo pour le maître défunt ?

POUR ALLER PLUS LOIN

Ce que dit le fou du pays des Blancs est-il la preuve de sa folie ? Que dit le texte à ce sujet ?

ÉCRIRE

Le narrateur opte pour une ellipse temporelle. Imaginez ce qui s'est passé entre les chapitres VII et VIII.

CHAPITRE IX

COMPRENDRE

1. *À l'horizon, le soleil couchant avait teint le ciel de pourpre sanglante. Pas un souffle n'agitait les arbres immobiles. On n'entendait que la grande voix du fleuve, répercutée par ses berges vertigineuses. Samba Diallo […] avait longtemps cru que cette immense crevasse partageait l'univers en deux parties que soudait le fleuve* (p. 165). Montrez que l'emploi métaphorique de la plupart des adjectifs de cet extrait prépare la scène dramatique qui va suivre.
2. Quels sens sont convoqués dans la description du paysage ?
3. *Samba Diallo sentit qu'une houle profonde montait en lui, le submergeait, lui humectait les yeux, les narines, faisait trembler sa bouche* (p. 165). Quel effet produisent les juxtapositions ?

ANALYSER

1. Quelles actions, paroles ou pensées des personnages font progresser la scène ?
2. Comment le dialogue la dramatise-t-il, étape par étape ?
3. Quelle périphrase finale rend compte de son issue ?

ÉTUDIER LES PERSONNAGES

1. Samba Diallo refuse de promettre au fou qu'il priera le lendemain. Pourquoi ?
2. Qu'est-ce qui dans le comportement du fou pourrait révéler sa folie, hormis l'acte final ?
3. Pour quelle raison le fou assassine-t-il Samba Diallo ?
4. L'avait-il mis en garde ?
5. Devant quelle tombe le fou s'accroupit-il pour prier ?
6. « Tu ne saurais m'oublier comme cela. Je n'accepterai pas, seul de nous deux, de pâtir de Ton éloignement. Je n'accepterai pas. Non… » (p. 167) Qui parle ici ? Relevez des indices vous permettant d'affirmer qu'il s'agit de Samba Diallo, des indices vous permettant d'affirmer qu'il s'agit du fou ? Cette ambiguïté vous semble-t-elle volontaire ? Pourquoi ?

POUR ALLER PLUS LOIN

Reportez-vous à la page 188 et analysez l'extrait du second roman de Cheikh Hamidou Kane, *Les Gardiens du Temple.*

ÉCRIRE

Imaginez le chapitre raconté du point de vue du fou. Essayez d'adopter un style en rapport avec l'état mental du personnage.

RECHERCHER

Dans la première partie du roman, Samba Diallo s'était refugié, une nuit durant, près de la tombe de la Vieille Rella. Rapprochez ces deux épisodes. Que fait apparaître ce rapprochement ?

CHAPITRE X : L'ÉPILOGUE, UNE FIN À INTERPRETATIONS MULTIPLES

ANALYSER

La mort de Samba Diallo à la fin de *L'Aventure ambiguë* a reçu diverses interprétations. Certains critiques ont parlé d'un suicide, Samba Diallo se laissant selon eux volontairement assassiner par le fou.

1. Quelle signification symbolique a selon vous, la fin choisie par l'auteur ?
2. La fin du texte représente-t-elle une clôture ou une ouverture ?
3. La mort de Samba Diallo se prête à des interprétations diverses selon la culture et les références de chaque lecteur, cette ouverture dans l'interprétation vous semble-t-elle efficace, pourquoi ?

Dans ce dernier chapitre, Samba Diallo dialogue avec Dieu et connaît une expérience extatique. Cela fait écho à un autre passage du texte où Samba Diallo éprouve une sensation de dépossession, un transport.

1. De quel passage s'agit-il ?
2. Comparez les deux scènes. Qu'en déduisez-vous ?

Reproduisez et complétez le tableau ci-dessous.
Proposez une analyse de la progression de cette partie du roman en faisant des rapprochements éclairants entre les chapitres.

CHAPITRE	V	VI	VII	VIII	IX
TITRE / CONTENU	L'exil de Samba Diallo, l'exil d'Adèle née au bord de la Seine.				
TEMPS / LIEUX	À Paris chez Pierre-Louis.				
PERSONNAGES	Samba Diallo ; Pierre-Louis ; sa petite fille, Adèle ; sa femme prénommée aussi Adèle, « une grosse métisse », ses deux fils : le capitaine Hubert Pierre-Louis, père d'Adèle et Marc, ingénieur.				
ACTIONS	Samba Diallo est reçu chez Pierre-Louis. Il y rencontre sa famille. Ils parlent : Samba Diallo de la perte de ses repères, que Pierre-Louis interprète comme étant le complexe du Mal Aimé. Adèle, impressionnée par Samba, semble regretter de n'avoir pas connu l'au-thenticité de l'Afrique…				
DISCOURS DOMINANT	Dialogal, argumentatif.				

SYNTHÈSE GÉNÉRALE

COMPRENDRE

Le titre

1. Cheikh Hamidou Kane avait d'abord songé intituler son récit *Dieu n'est pas un parent*. Expliquez ce titre en le replaçant dans le contexte socio-religieux de l'Islam.

2. Analysez le double sens du titre finalement retenu en définissant les deux termes du titre et justifiez le choix de Kane.

Le genre du roman

1. *L'Aventure ambiguë* est sous-titrée « Récit ». Définissez cette notion. Que nous apprend ce sous-titre sur l'indétermination générique du texte ?

2. *L'Aventure ambiguë* est un texte qui peut s'apparenter à différents genres littéraires, son écriture recourt à divers modèles de la littérature européenne et africaine. Montrez en quoi le texte emprunte au roman d'apprentissage (ou *Bildungsroman*[1]), au récit historique, au dialogue philosophique.

ANALYSER

La rencontre, l'aventure, le déséquilibre

1. La rencontre entre l'Afrique et l'Occident dans le contexte colonial est une rencontre sous le signe de la violence et du déséquilibre. Montrez comment l'Occident est caractérisé dans le texte par son désir non pas de comprendre mais de dominer alors que l'Afrique est présentée comme ouverte au dialogue.

2. Le texte met en scène l'affrontement entre un Occident mécanisé et une Afrique spiritualiste. Montrez comment le narrateur distribue ces oppositions et quels sens il leur attribue.

Des conceptions du temps opposées

1. Montrez que des rapports contradictoires au temps sont présentés dans le récit. Une conception qui se focalise sur le développement linéaire

---

[1] Récit qui décrit les péripéties que connaît un héros dans son apprentissage du monde et qui montre les leçons qui en sont tirées.

du temps humain et une conception attentive au caractère cyclique du temps et à la finitude de l'existence humaine.

2. Pourtant ces deux conceptions opposées du temps ne marquent pas forcément une opposition culturelle entre Afrique et Occident. Relevez et expliquez le passage dans lequel l'idée d'une « différence de nature, entre l'Occident et ce qui n'est pas l'Occident » (p. 151) est rejetée. Quelle rupture est soulignée dans l'histoire de la pensée occidentale ?

Imaginez un futur en commun : la « civilisation de l'universel »

1. Comme le rappelle le chevalier à Paul Lacroix, l'Afrique et l'Occident doivent désormais trouver un mode de vivre ensemble : « Nous n'avons pas eu le même passé, vous et nous, mais nous aurons le même avenir, rigoureusement. L'ère des destinées singulières est révolue » (p.78). Une conciliation n'est possible que dans la réciprocité des échanges, il est indispensable que les cultures acceptent de se reconnaître mutuellement. Le monde ne devrait pas uniquement « s'occidentaliser » (p. 71), que peut apporter l'Afrique à cette « Civilisation de l'universel[1] » selon le chevalier ?

2. En analysant la vision du chevalier d'un monde uniformisé, montrez que Samba Diallo est mandaté par les Diallobé pour remplir une double mission : il est à la fois investi d'une quête (comprendre l'Occident) et porteur d'une promesse (préserver et transmettre les valeurs de sa culture pour qu'elles puissent enrichir l'humanité).

La vie et la mort

1. Montrez que dans le roman, la mort est omniprésente.
2. Quelles sont les deux conceptions contradictoires de la mort présentées dans le récit ?

ÉTUDIER LES PERSONNAGES

Les personnages de *L'Aventure ambiguë* sont des personnages-types, ils ont une valeur symbolique. Face aux changements brutaux survenus au pays, certains cherchent à s'adapter, d'autres veulent résister et les derniers visent le compromis. Classez les personnages selon ces trois catégories.

[1] Voir le texte de Léopold Sédar Senghor en annexe.

Le héros, Samba Diallo

1. Analysez le portrait de Samba Diallo et montrez comment le narrateur établit une correspondance entre la description physique et la description psychologique du personnage.

2. En analysant la manière dont il est perçu par les autres personnages et les relations qu'ils entretiennent avec lui vous montrerez que Samba Diallo est un personnage singulier.

3. Quelles conceptions de la mort se dégagent de l'enseignement de Thierno ? Quelle compréhension Samba Diallo en a-t-il ?

4. L'initiation de Samba Diallo reste inachevée et se produit dans son esprit des changements subtils et progressifs. Analysez l'évolution psychologique du héros.

La Grande Royale

1. La Grande Royale est une personnification de l'Afrique forte et pragmatique. Montrez comment le narrateur fait ressortir l'énergie, la vitalité de son caractère.

2. En analysant son attitude avec Samba Diallo, montrez qu'elle représente également une figure.

Le père de Samba Diallo

1. Comment le chevalier apparaît-il pour la première fois dans le texte ? À travers les yeux de quel personnage est-il présenté ? pourquoi selon vous ?

2. Comment apparaît dans les dialogues avec son fils sa volonté de conciliation, sa capacité de synthèse culturelle ?

3. Dans sa conversation avec l'administrateur Paul Lacroix, le chevalier expose sa vision de l'avenir du monde. Quels dangers redoute-t-il ?

Le maître Thierno

Quelle description physique est faite de ce personnage ? Quelle impression s'en dégage ? Quelle interprétation en donnez-vous pour la signification du texte ?

Le fou, un personnage ambigu

1. Peut-on selon vous établir un rapprochement entre l'expérience du fou et l'aventure de Samba Diallo ?

2. Le personnage du fou produit une impression ambiguë au lecteur. Montrez comment cette impression est amenée par sa description physique, sa gestuelle, son regard.

3. Thierno est frappé par le changement dans l'attitude du fou lorsque celui-ci raconte son expérience de l'Europe (p. 85). Quels sont les signes de ce changement ?

4. Quelles impressions majeures se dégagent de la description de l'Europe dans le récit du fou ?

5. Le fou veut obliger Samba Diallo à prier et l'assassine parce qu'il croit que ce dernier refuse. Peut-on lire dans ce geste meurtrier une mise en garde contre l'intégrisme religieux ? Qu'en pensez-vous ?

POUR ALLER PLUS LOIN

Une structure dialogique

1. En analysant l'organisation du texte, montrez que le récit est construit sur des oppositions et des parallélismes constants.

2. Malgré la division nette du texte en deux parties, la composition n'est pas binaire. Identifiez divers éléments de liaison qui structurent le texte et soulignent des correspondances entre les parties notamment au niveau des déplacements, des personnages et des dialogues.

3. Relevez et interprétez les références à l'Europe dans la première partie qui se déroule au pays des Diallobé.

4. Inversement, relevez et interprétez dans les passages qui se déroulent à Paris, la manière dont se manifeste la présence du Pays des Diallobé.

5. Dans le récit, les questions importantes donnent lieu à des reprises développées sur plusieurs chapitres. Indiquez les chapitres qui se répondent.

La focalisation

La plupart du temps, le lecteur suit le récit à travers les yeux du héros Samba Diallo, mais il arrive que la narration s'opère à travers le regard des personnages qui lui sont proches : le maître, le chef des Diallobé, la Grande Royale, le chevalier, le fou. Quel effet produit cette diversité des points de vue ?

L'art de la parole

1. Les personnages du récit se caractérisent par leur maîtrise oratoire. Cette importance accordée au bien dire fait référence à une triple influence culturelle : l'oralité traditionnelle des sociétés africaines, l'importance du Verbe dans la religion et la rhétorique classique occidentale.

Identifiez ces trois références par des relevés dans le texte.

2. L'auteur semble insister sur le fait que c'est à travers la discussion, l'expression et l'échange d'idées clairement formulées qu'on fait avancer la réflexion. Montrez-le. Qu'en pensez-vous ?

Le rythme du récit

1. Dans l'économie narrative du récit, il y a des accélérations. En repérant les indications temporelles dans la première et dans la deuxième partie, évaluez la période qui est couverte par le récit. Par quels procédés le narrateur accélère-t-il le récit ?

2. La fin du récit vous a-t-elle surpris ? Relevez les indices qui anticipaient ce dénouement.

RECHERCHER

Dans le cadre de sa politique d'assimilation, l'administration coloniale s'est appuyée sur l'institution scolaire pour diffuser la culture et les valeurs occidentales ainsi que pour former des cadres administratifs subalternes. En outre, la scolarisation de l'enfant marque une rupture et un éloignement avec sa communauté.

Relevez dans le roman les différentes réactions des personnages face à l'école coloniale et mettez-les en lien avec des documents (témoignages, textes officiels, iconographie) que vous pourrez trouver.

Dossier

Groupement de textes

LES GARDIENS DU TEMPLE

Cheikh Hamidou Kane, © 1981, 1987, Édtions Stock.

Le roman Les Gardiens du Temple *n'est pas à proprement parlé une suite de* L'Aventure ambiguë, *mais s'inscrit en continuité avec de nombreuses références explicites. Le texte relate les conflits internes qui opposent l'élite d'un pays qui vient d'accéder à l'indépendance. Le débat entre tradition et modernité est une nouvelle fois au cœur des problématiques de l'auteur.*

À l'évocation faite par Thierno de la Grande Royale, la pensée de Salif lui remémora la tragique figure de Samba Diallo, assassiné par un dément. Le pays des Diallobé avait été comme foudroyé par cette disparition, car l'homme que le destin avait ravi ainsi n'était pas seulement une personnification presque idéale des valeurs dans lesquelles tous les Diallobé se reconnaissaient, mais, durant le peu de temps qu'il avait vécu parmi les siens, à son retour du pays des Blancs et avant que le Fou ne l'eût sacrifié, il avait aussi commencé d'apparaître aux yeux de ceux qui l'avaient approché comme la preuve incarnée, l'annonciateur sobre d'un avenir fertile. La communauté diallobé avait porté son deuil et procédé, à l'occasion du procès de l'assassin, à un profond examen de conscience. Ni le chef des Diallobé ni la Grande Royale, ni aucun membre de la famille de Samba Diallo n'avaient voulu prendre part aux audiences. Thierno Demba, ancien condisciple de Samba Diallo au Foyer-Ardent, et qui était devenu maître des Diallobé, avait conduit l'enquête et le procès. La peine de mort avait été prononcée contre le Fou, au motif que doit être tué quiconque tue sans raison légitime ; que Samba Diallo n'avait donné à qui que ce soit, individu ou collectivité, aucune raison légitime d'attenter à ses jours : que, bien au contraire, ce qu'on savait de sa soumission à Dieu, de sa foi et de sa pratique religieuse jusqu'au moment de sa mort, ce qu'on voyait de sa fidélité aux traditions des Diallobé, et le témoignage pesé et raisonné qu'il avait donné de ce que le monde des Blancs et leur école proposaient aux Diallobé quelques voies nouvelles qu'il était du devoir de ces derniers de suivre pour leur bien propre, bref, que tout ce que l'enquête avait révélé confirmait au pays des Diallobé que, durant toute son histoire, la mort de cet homme avait été la perte la plus grave qu'il eût jamais subie. Le verdict n'avait pas été exécuté et le Fou, dont l'acte qu'il venait de commettre établissait la preuve la plus évidente de son aliénation mentale, avait été mis aux fers pour le restant de ses jours, afin de protéger la société. Le sacrifice de Samba Diallo n'avait pas été vain, cependant, car, en dépit de la brièveté de sa vie, il avait eu le temps de convaincre les Diallobé que le monde des Blancs ne recelait pas que des maléfices, et de démontrer que les Diallobé possédaient des richesses qu'il leur incombait de préserver à tout prix, et ce d'autant plus, avait-il annoncé, que le monde à venir en aurait cruellement besoin. Il n'y avait plus eu la moindre objection à ce que les jeunes Diallobé fréquentassent l'école primaire de Saré Kobi, le lycée de Tamarine, ou les universités françaises. En un sens, c'est le sacrifice de Samba Diallo qui avait permis à Salif Bâ[1] non seulement d'aller chez les Blancs acquérir sa formation d'ingénieur, mais d'avoir, à son retour à Saré Kobi, continué à jouir de la confiance et de l'affection des Diallobé, ainsi que Thierno venait d'en attester.

[1] Salif Bâ est le héros du second roman de Cheikh Hamidou Kane. Ingénieur agronome, il est présenté par l'auteur comme un successeur de Samba Diallo.

1. La disparition de Samba Diallo est perçue comme une perte irrémédiable pour le pays des Diallobé. Pourquoi ? Vous relèverez dans le texte les différents arguments qui sont avancés.

2. Samba Diallo est présenté comme quelqu'un qui aurait été capable de lier le passé et l'avenir, d'assurer une continuité sans heurt dans cette époque de transition. Quelle phrase en particulier le montre ?

ANALYSER

1. Comment est rapportée la sentence contre le fou ? Analysez la construction du raisonnement. Quels motifs sont avancés ?

2. Quelles qualités de Samba Diallo sont mises en avant dans l'argumentation conduite par Thierno Demba ?

3. Qu'apprend-on dans ce passage du rapport que Samba Diallo a pu faire aux Diallobé de son séjour en France ? Pourquoi les conclusions de Samba Diallo apparaissent-elles importantes à Thierno Demba ?

2. Dans *L'Aventure ambiguë*, la Grande Royale semblait regretter que Thierno Demba ait été désigné comme successeur du maître. Qu'aurait pu apporter de plus Samba Diallo selon vous ?

POUR ALLER PLUS LOIN

Le terme de « sacrifice » est employé à propos de Samba Diallo, ce terme vous paraît-il approprié dans ce contexte ? Que signifie-t-il ? Peut-on dire que Samba Diallo a été « sacrifié » dès son envoi à l'école des Blancs dans *L'Aventure ambiguë* ?

OUI MON COMMANDANT !

Amadou Hampâté Bâ, *Mémoires II,* © Actes Sud, *1994.*

Écrivain et ethnologue malien, A. H. Bâ (1900-1991) est issu d'une famille peule aristocratique. Il suit les enseignements de l'école coranique de Tierno Bokar avant d'intégrer l'école française de Bandiagara. Au cours de sa carrière universitaire ou au sein de l'UNESCO, il œuvre à la défense des cultures orales africaines. Auteur de nombreux romans et poèmes, il consacre les dernières années de sa vie à la rédaction de ses mémoires : Amkoullel, l'enfant peul *et* Oui mon Commandant !

Les trois vérités et les croissants de lune

Je profitai du temps qui me restait pour poser à mon maître des questions qui me tenaient à cœur.

« Tierno, est-ce que je peux discuter de questions religieuses avec des gens qui ne sont pas musulmans ?

– Oui, me répondit-il, si tu peux les respecter. Il faut toujours respecter les croyances des autres. Imagine que le père de quelqu'un soit un cochon alors que ton père à toi est un ange. Si tu insultes son père cochon, sa réplique immédiate sera d'insulter ton père ange, parce que pour lui c'est son père cochon qui est le meilleur. Si tu insultes son père, il insultera le tien. Si tu commences par repousser quelqu'un, il te repoussera, c'est une réaction naturelle. Cela se voit dans les mains de l'homme : si tu mimes l'action de frapper, l'autre, automatiquement, lèvera sa main contre toi. »

Il ne nous incitait pas seulement à la tolérance, mais à une écoute réelle, attentive de l'autre :

« Si tu n'es pas compris, au lieu de t'exciter et de trouver que ton interlocuteur est un imbécile, ou qu'il a la compréhension dure, il faut, toi, l'écouter et essayer de le comprendre. Quand tu le comprendras, tu sauras pourquoi il ne t'a pas compris ; tu pourras alors ajuster tes propos de manière à être compris de lui. Peut-être as-tu parlé d'une manière trop élevée, ou incompréhensible pour son entendement ou sa vision des choses ? C'est pourquoi il faut savoir écouter. Il faut cesser d'être ce que tu es et oublier ce que tu sais. Si tu restes tout plein de toi-même et imbu de ton savoir, ton prochain ne trouvera aucune ouverture pour entrer en toi. Il restera lui, et tu resteras toi. »

Pour lui, l'ensemble des conflits humains reposait sur quatre causes essentielles : la sexualité, l'appât du gain, le souci de préséance (« Ôte-toi de là que je m'y mette ») et la mutuelle incompréhension, compagne de l'intolérance. Il voyait dans l'incompréhension et l'intolérance le père et la mère de toutes les divergences humaines: « On se parle, mais on ne se comprend pas, parce que chacun n'écoute que lui-même et croit détenir le monopole de la vérité. Or quand tout le monde revendique la vérité, à la fin personne ne l'aura. » C'est alors qu'il nous développa son schéma des « trois vérités » et des croissants de lune.

« Il y a trois Vérités, nous expliqua-t-il : ma vérité, ta vérité, et la Vérité. La Vérité n'appartient à personne : elle est au centre, et n'appartient qu'à Dieu. Elle représente la lumière totale, et c'est pourquoi elle est symbolisée par la pleine lune. Avez-vous remarqué que, pendant les trois jours de pleine lune (les treizième, quatorzième et quinzième jours de chaque mois lunaire), il n'y a pas d'obscurité sur la terre ? Le soleil ne se couche pas avant de voir apparaître le disque lunaire à l'opposé du ciel, et la lune ne disparaît pas avant d'avoir vu le soleil se lever. C'est un spectacle de toute beauté !

« Ma vérité, comme ta vérité, ne sont que des fractions de la Vérité. Ce sont des croissants de lune situés de part et d'autre du cercle parfait de la pleine lune. La plupart du temps, quand nous discutons et que nous n'écoutons que nous-mêmes, nos croissants de lune se tournent le dos ; et plus nous discutons, plus ils s'éloignent de la pleine lune, autrement dit de la Vérité. Il nous faut d'abord nous retourner l'un vers l'autre, prendre conscience que l'autre existe, et commencer à l'écouter. Alors nos deux croissants de lune vont se faire face, se rapprocher peu à peu et peut-être, finalement, se rencontrer dans le grand cercle de la Vérité. C'est là, et là seulement, que peut s'opérer la conjonction. »

Tout en parlant, il dessinait sur le sol le cercle de la pleine lune et, des deux côtés, les deux croissants d'abord opposés, puis se faisant face, puis se rapprochant jusqu'à se confondre avec le cercle central. Tierno utilisait toujours ce genre d'images pour se faire comprendre. C'était l'une de ses innovations par rapport à l'enseignement maraboutique habituel. Il appelait les croissants opposés « les vérités divergentes », et nous invitait à aller vers « la vérité convergente ». « Si vous êtes avec quelqu'un, ne cherchez pas ce qui vous différencie ; cherchez ce que vous avez de commun et bâtissez sur cela. »

Pour Tierno Bokar, il n'existait qu'une seule religion, une en son essence, éternelle, immuable dans ses principes fondamentaux, mais qui, au cours des temps, pouvait varier dans ses formes d'expression pour répondre aux conditions de l'époque et du lieu où était descendue chaque grande « révélation ». « Il n'y a qu'un seul Dieu, disait-il. De même, il ne peut y avoir qu'une voie pour mener à Lui, une religion dont les diverses manifestations dans le temps sont comparables aux branches déployées d'un arbre unique. Cette religion ne peut s'appeler que Vérité. Ses dogmes ne peuvent être que trois : Amour, Charité, Fraternité. »

Juger par soi-même, non par des « on-dit »

Ce fut une grande chance pour moi d'avoir été formé par un maître qui n'était pas un marabout obtus, qui était même audacieux. À l'époque, il fallait en effet un courage extraordinaire pour prendre certaines des positions que Tierno osait prendre.

Je lui avais fait part de mes travaux de collecte sur les différentes traditions orales, et il m'approuvait pleinement. « Elles constituent l'héritage spirituel de ceux qui nous ont précédés et qui n'ont pas encore rompu avec Dieu », disait-il. Lui-même était un assez bon connaisseur des traditions africaines, notamment des peuples dont il parlait parfaitement la langue : Bambaras et Haoussas, entre autres. Il insistait particulièrement sur le trésor que constituaient nos contes traditionnels : « Chaque conte, chaque devinette est comme une galerie dont l'ensemble forme une mine de renseignements que les anciens nous ont légués par région, race, famille, et souvent d'individu à individu. »

Comme mon départ approchait, je lui posai une question délicate que je ne pouvais me permettre de résoudre seul, car je ne voulais rien faire sans son accord : « Tierno, dans la poursuite de mes recherches, si un jour je suis invité par un milieu initiatique traditionnel, puis-je accepter de le visiter ? Puis-je, par exemple, aller voir le Komo des Bambaras pour mieux les connaître ? »

Nombre d'autres marabouts en auraient suffoqué d'indignation. Lui, à son habitude, commença par me regarder longuement, puis il me dit :

« Avant de te répondre par oui ou par non, je voudrais être certain que tu réunis plusieurs conditions. Avant toute démarche de ce genre, il faut en effet que tu sois sûr d'une chose : c'est que Dieu est, et qu'Il est unique. Mais Il est libre de se manifester comme Il le veut, sinon nous l'enfermerions dans une loi. Or Dieu est au-dessus de toute loi ; c'est nous qui sommes soumis à une loi, non Lui. Tu peux donc aller visiter les autres initiations à condition d'être solidement enraciné dans ta propre foi et ta propre identité (ton « toi-même »), et que rien ne puisse te troubler ni te perturber. Dans le cas contraire, ce serait dangereux. Ce n'est pas à conseiller à ceux qui manquent de maturité spirituelle.

« L'autre condition est que tu devras être capable de respecter les croyances et les initiations de tous ceux que tu visiteras, et de ne point les offenser. Critiquer, offenser, insulter, ne sert à rien. Personne n'y gagne quoi que ce soit.

« Enfin, garde toi toujours d'émettre un jugement, ou une opinion, sur une chose que tu n'auras pas connue par toi-même, en te fiant à de simples "on-dit". »

Cette parole allait être, dans l'avenir, ma règle de conduite. C'est ce qui m'a permis de répondre sans crainte à des invitations de divers horizons spirituels, afin de me faire une opinion par moi-même, et sans jamais en être perturbé ».

ANALYSER

1. Comment Tierno Bokar explique-t-il les conflits humains ? Qu'en pensez-vous ? Vous semble-t-il que Ch. H. Kane, développe des arguments similaires dans *L'Aventure ambiguë* ? Pourquoi le dialogue entre Afrique et Occident était-il tronqué dans le contexte de la colonisation ?

2. L'enseignement de Tierno Bokar est tout d'intelligence, de compréhension et de conciliation, en relevant des exemples précis dans le texte, montrez que pour lui le contact avec des cultures étrangères ne présente pas de danger d'acculturation, mais au contraire permet l'enrichissement de la personne.

POUR ALLER PLUS LOIN

1. Tierno Bokar utilise des paraboles et des exemples concrets pour illustrer son enseignement. En vous reportant aux méthodes d'enseignement coranique de Thierno dans *L'Aventure ambiguë*, vous montrerez en quoi l'enseignement de Tierno Bokar diffère de « l'enseignement maraboutique habituel ». Vous débattrez des avantages et inconvénients de ces différentes méthodes.

2. Que pensez-vous des affirmations de Tierno Bokar sur l'unicité des religions ? Vous semblent-elles de nature à inciter efficacement au dépassement des conflits religieux qui secouent notre monde aujourd'hui ?

RECHERCHER

Tierno Bokar est un maître tidjani. Que signifie ce qualificatif ?
Faites des recherches sur le Tidjanisme.

Rainer Maria Rilke, 1910.

Rainer Maria Rilke (1875-1926) est un écrivain autrichien considéré comme l'un des plus grands poètes de langue allemande. Son œuvre traduit les angoisses et la solitude de l'homme. Ses textes les plus célèbres sont Lettres à un jeune poète *et* Les Cahiers de Malte Laurids Brigge*, son unique roman d'inspiration autobiographique.*

C'est ridicule. Je suis assis là dans ma petite pièce, moi, Brigge, qui ai passé vingt-huit ans et dont personne ne sait rien. Je suis assis là et ne suis rien. Et cependant, ce rien commence à penser, et il pense, à son cinquième étage, dans la grisaille d'un après-midi parisien, il pense ceci :

Est-il possible, pense-t-il, que l'on n'ait encore rien vu, découvert ni dit de réel et d'important ? Est-il possible que l'on ait eu des millénaires pour regarder, réfléchir et noter, et que l'on ait laissé passer ces millénaires comme à l'école une récréation où l'on mange sa tartine et une pomme ?

Oui, c'est possible.

Est-il possible que malgré les inventions et les progrès, malgré la culture, la religion et les grands sages de l'univers, on soit resté à la surface de la vie ? Est-il possible que l'on ait recouvert cette surface elle-même, qui aurait été tout de même quelque chose, d'une étoffe incroyablement ennuyeuse qui la fait ressembler aux meubles du salon pendant les vacances d'été ?

Oui, c'est possible.

Est-il possible que toute l'histoire universelle ait fait l'objet d'un tel malentendu ? Est-il possible que le passé soit faux parce qu'on n'a toujours parlé que de ses masses, exactement comme si l'on parlait d'un grand concours de peuple sans parler de l'individu autour duquel ces gens se sont rassemblés, parce qu'il était étranger et qu'il est mort ?

Oui, c'est possible.

Est-il possible que l'on ait cru devoir rattraper ce qui s'est produit avant que l'on fût né ? Est-il possible qu'il faille rappeler à chaque individu qu'il est le fruit de tous ceux qui l'ont précédé, qu'il le sait donc et ne devrait sous aucun prétexte se laisser persuader d'autre chose par ceux qui croient savoir autre chose ?

Oui, c'est possible.

Est-il possible que tous ces hommes connaissent parfaitement un passé qui n'a jamais existé ? Est-il possible que les réalités, toutes autant qu'elles sont, ne soient rien pour eux ; que leur vie, qui n'est reliée à rien, s'égrène comme le tic-tac d'une pendule dans une pièce vide... ?

Oui, c'est possible.

Est-il possible que l'on ne sache rien des jeunes filles qui vivent pourtant ? Est-il possible qu'on dise « les femmes », « les enfants », « les petits garçons », et qu'on ne pressente pas (quelle que soit la civilisation) qu'il y a longtemps que ces mots n'ont plus de pluriel, mais n'ont que d'innombrables singuliers ?

Oui, c'est possible.

Est-il possible qu'il y ait des gens qui disent « Dieu » et pensent qu'il s'agit de quelque chose que l'on possède en commun ? – Voyez simplement deux écoliers : l'un s'achète un couteau, et son voisin s'en achète un tout pareil le même jour. Et puis au bout d'une semaine ils se montrent leurs couteaux, et il apparaît qu'ils ne se ressemblent plus que de très loin – tant leur évolution a été différente entre de différentes mains. (Ah, dit la mère de l'un, vous usez tout tout de suite !) Eh bien, est-il possible de croire que l'on puisse avoir un Dieu et ne pas s'en servir ?

Oui, c'est possible.

Mais si tout cela est possible, ne fût-ce que d'un semblant de possibilité, – alors, à n'importe quel prix, il faut que quelque chose se passe. Le premier venu, celui qui a eu cette pensée inquiétante, doit commencer à faire quelque chose de ce que l'on a négligé jusqu'ici ; même si ce n'est que n'importe qui, le moins fait pour cela : aussi bien n'y a-t-il personne d'autre. Ce jeune étranger sans importance, Brigge, va devoir s'asseoir à son cinquième étage et écrire, jour et nuit. Oui, il va devoir écrire – c'est ainsi que cela va finir.

COMPRENDRE

1. En quoi la situation de Malte Laurids Brigge est-elle, selon lui, « ridicule » ?
2. Qu'affirme chacun des sept paragraphes encadrés par la question « Est-il possible ? » et la réponse « Oui, c'est possible. » ?
3. Le narrateur se sent « étranger » non seulement au lieu, mais au monde. Montrez-le.

ANALYSER

1. Rilke vous semble-t-il vouloir, plutôt, mettre l'accent sur la rigueur d'une pensée organisée ou sur le désordre des pensées de son personnage ?
2. Que veut signifier le narrateur lorsqu'il dit : « Est-il possible qu'on dise « les femmes », « les enfants », « les petits garçons », et qu'on ne pressente pas (quelle que soit la civilisation) qu'il y a longtemps que ces mots n'ont plus de pluriel, mais n'ont que d'innombrables singuliers ? »

ÉCRIRE

Discutez cette opinion de Malte Laurids Brigge lorsqu'il affirme que la connaissance du passé et l'expérience de ceux qui l'ont précédé dans l'existence n'aident pas l'individu à s'extraire de son incommensurable solitude mais sait qu'on « doit commencer à faire quelque chose de ce qu'on a négligé jusqu'ici ». Quelle tâche s'est, quant à lui, assigné Malte Laurids Brigge ?

RECHERCHER

Samba Diallo au chapitre III de la deuxième partie de *L'Aventure ambiguë* (p. 124) se compare à Malte Laurids Brigge. Comparez ce chapitre à l'extrait proposé ci-dessus et expliquez les rapprochements et les oppositions.

LETTRE DE GARGANTUA À PANTAGRUEL

Rabelais, *Pantagruel*, Chapitre VIII, 1532.

Médecin et écrivain de la Renaissance, François Rabelais (entre 1483 et 1494-1553) est l'auteur de cinq romans dont Gargantua *et* Pantagruel *sont les plus célèbres. Proches du conte, ces textes sont caractérisés par le grotesque et la pensée humaniste.*
Fils du géant Gargantua, Pantagruel *part faire des études à Paris. Son père lui écrit et évoque la chance qu'il a d'accéder au savoir grâce aux nouvelles connaissances et à l'imprimerie et l'encourage à en tirer profit.*

Tu es à Paris, tu as ton précepteur Epistémon, dont l'un par vives et vocales instructions, l'autre par louables exemples, te peut endoctriner.

J'entends et veux que tu apprennes les langues parfaitement. Premièrement la grecque comme le veut Quintilien[1], secondement, la latine, et puis l'hébraïque pour les saintes lettres, et la chaldaïque et arabique pareillement ; et que tu formes ton style quant à la grecque, à l'imitation de Platon, quant à la latine, à Cicéron. Qu'il n'y ait histoire que tu ne tiennes en mémoire présente, à quoi t'aidera la cosmographie de ceux qui en ont écrit.

Des arts libéraux, géométrie, arithmétique et musique, je t'en donnai quelque goût quand tu était encore petit, en l'âge de cinq à six ans ; poursuis le reste, et d'astronomie saches-en tous les canons ; laisse-moi l'astrologie divinatrice et l'art de Lullius[2], comme abus et vanités.

Du droit civil, je veux que tu saches par cœur les beaux textes et me les confères avec philosophie.

Et quant à la connaissance des faits de nature, je veux que tu t'y adonnes curieusement : qu'il n'y ait mer, rivière ni fontaine, dont tu ne connaisses les poissons, tous les oiseaux de l'air, tous les arbres, arbustes et fructices des forêts[3], toutes les herbes de la terre, tous les métaux cachés au ventre des abîmes, les pierreries de tout Orient et Midi, rien ne te soit inconnu.

Puis soigneusement revisite les livres des médecins grecs, arabes et latins, sans contemner[4] les talmudistes et cabalistes, et par fréquentes anatomies

---

[1] Pédagogue romain du Ier siècle.
[2] Alchimiste espagnol du XIIIe siècle.
[3] Pousses, rejetons.
[4] Mépriser.

acquiers-toi parfaite connaissance de l'autre monde, qui est l'homme. Et par lesquelles heures du jour commence à visiter les saintes lettres, premièrement en grec Le Nouveau Testament et Épîtres des Apôtres et puis en hébreu Le Vieux Testament.

Somme, que je vois un abîme de science : car dorénavant que tu deviens homme et te fais grand il te faudra issir[1] de cette tranquillité et repos d'étude, et apprendre la chevalerie et les armes pour défendre ma maison, envers tous et contre tous, et hantant les gens lettrés qui sont tant à Paris comme ailleurs. Mais, parce que selon le sage Salomon[2] sapience n'entre point en âme malivole[3] et science sans conscience n'est que ruine de l'âme, il te convient servir, aimer et craindre Dieu, et en lui mettre toutes tes pensées et tout ton espoir, et par foi, formée de charité, être à lui adjoint en sorte que jamais n'en sois désemparé par péché. Aie suspects les abus du monde. Ne mets ton cœur à vanité, car cette vie est transitoire, mais la parole de Dieu demeure éternellement. Sois serviable à tous tes prochains et les aime comme toi-même. Révère tes précepteurs. Fuis les compagnies des gens auxquels tu ne veux point ressembler, et les grâces que Dieu t'a données, icelles ne reçois en vain. Et quand tu connaîtras que tu auras tout le savoir de par delà acquis, retourne vers moi, afin que je te voie et donne ma bénédiction devant que mourir.

Mon fils, la paix et grâce de Notre Seigneur soit avec toi. Amen.

D'Utopie, ce dix-septième jour du mois de mars.

Ton père, Gagantua.

---

1 Sortir.
2 Connaissance, sagesse.
3 Nuisible.

COMPRENDRE

Le lieu d'émission ou d'écriture de la lettre est Utopie. Que révèle cette information ?

ANALYSER

1. Quels sont les différents domaines abordés dans ce programme d'étude ?
2. Par quels procédés stylistiques ces différents domaines sont-ils mis en valeur ?
3. En quoi ce programme est-il ambitieux ? Quel domaine privilégie-t-il ?

POUR ALLER PLUS LOIN

1. Parmi les conseils prodigués par Gargantua à son fils Pantagruel, quels sont ceux qui auraient pu être prodigués à Samba Diallo, par son père, par le chef des Diallobé, par la Grande Royale ?
2. L'apprentissage de la rhétorique (ou l'art de la discussion) est une étape importance du programme établi par Gargantua. Fait-il partie du programme d'étude du maître du Foyer-Ardent ?
3. À quel moment l'apprentissage de la rhétorique est-il sollicité dans le cursus des études coraniques ?

RECHERCHER

1. Faites des recherches sur l'humanisme, mouvement philosophique et culturel qui a marqué la Renaissance européenne.
2. Quels rapprochements et quelles oppositions faites-vous avec la lettre que reçoit Samba Diallo lors de ses études à Paris. (pp. 159-160)

Blaise Pascal, *Les Pensées.*

Blaise Pascal (1623-1662) est un mathématicien, physicien, philosophe et théologien français. Dans son œuvre inachevée Les Pensées, *Pascal expose ses réflexions sur la religion, la nature de l'homme et l'acceptation de Dieu par le biais de la grâce. On l'oppose généralement au philosophe René Descartes (1596-1650) qui place la raison comme principe fondamental.*

Rien n'est plus capable de nous faire entrer dans la connaissance de la misère des hommes, que de considérer la cause véritable de l'agitation perpétuelle dans laquelle ils passent toute leur vie.

L'âme est jetée dans le corps pour y faire un séjour de peu de durée. Elle sait que ce n'est qu'un passage à un voyage éternel, et qu'elle n'a que le peu de temps que dure la vie pour s'y préparer. Les nécessités de la nature lui en ravissent une très grande partie. Il ne lui reste que très peu dont elle puisse disposer. Mais ce peu qui lui reste l'incommode si fort, et l'embarrasse si étrangement, qu'elle ne songe qu'à le perdre. Ce lui est une peine insupportable d'être obligée de vivre avec soi, et de penser à soi. Ainsi tout son soin est de s'oublier soi-même, et de laisser couler ce temps si court et si précieux sans réflexion, en s'occupant de choses qui l'empêchent d'y penser.

C'est l'origine de toutes les occupations tumultuaires des hommes, et de tout ce qu'on appelle divertissement ou passe temps, dans lesquels on n'a en effet pour but que d'y laisser passer le temps, sans le sentir, ou plutôt sans se sentir soi même, et d'éviter en perdant cette partie de la vie l'amertume et le dégoût intérieur qui accompagnerait nécessairement l'attention que l'on ferait sur soi même durant ce temps-là. L'âme ne trouve rien en elle qui la contente. Elle n'y voit rien qui ne l'afflige, quand elle y pense. C'est ce qui la contraint de se répandre au dehors, et de chercher dans l'application aux choses extérieures, à perdre le souvenir de son état véritable. Sa joie consiste dans cet oubli ; et il suffit pour la rendre misérable, de l'obliger de se voir, et d'être avec soi.

On charge les hommes dès l'enfance du soin de leur honneur, de leurs biens, et même du bien et de l'honneur de leurs parents et de leurs amis. On les accable de l'étude des langues, des sciences, des exercices, et des arts. On les charge d'affaires : on leur fait entendre, qu'ils ne sauraient être heureux, s'ils ne font en sorte par leur industrie et par leur soin, que leur fortune, leur honneur, et même la fortune et l'honneur de leurs amis soient en bon état, et qu'une seule de ces choses qui manque les rend malheureux. Ainsi on leur donne des charges et des affaires qui les font tracasser dès la pointe du jour. Voilà, direz-vous, une étrange manière de les rendre heureux. Que pourrait-on faire de mieux pour les rendre malheureux ? Demandez-vous ce qu'on pourrait faire ? Il ne faudrait que leur ôter tous ces soins. Car alors ils se verraient, et ils penseraient à eux même ; et c'est ce qui leur est insupportable. Aussi après s'être chargés de tant d'affaires, s'ils ont quelque temps de relâche, ils tâchent encore de le perdre à quelque divertissement qui les occupe tous entiers, et les dérobe à eux mêmes.

COMPRENDRE

1. Expliquez les expressions : *Les nécessités de la nature lui en ravissent une très grande partie ; ce peu qui lui reste l'incommode si fort ; L'âme ne trouve rien en elle qui la contente ; C'est ce qui la contraint de se répandre au dehors.*

2. Quels sens particuliers prennent dans ce texte les mots suivants : *occupations tumultuaires ; divertissement ;* par leur *industrie* et par leur *soin* ; leur *fortune* ; *des charges* et des *affaires* ; *relâche* ; les *dérobe* à eux-mêmes.

ANALYSER

1. La première phrase du texte constitue aussi le premier paragraphe. À votre avis, introduit-il seulement le texte ou résume-t-il aussi son contenu ?

2. Précisez le rôle des paragraphes suivants et relevez les mots, expressions, indices grammaticaux qui vous permettent de répondre.

3. Les pronoms personnels de la première et deuxième personnes du pluriel, ainsi que le pronom indéfini « on », sont employés à plusieurs reprises : Qui parle ? À qui ? De qui ou de quoi ?

POUR ALLER PLUS LOIN

1. « Car alors ils se verraient, et ils penseraient à eux même ; et c'est ce qui leur est insupportable. » Pensez-vous comme Pascal qu'il soit insupportable à l'homme de penser par lui-même ? Pourquoi ? Que craint-il ?

2. Le divertissement, au sens pascalien du terme, est-il apte à rendre l'homme heureux ou malheureux ?

RECHERCHER

Samba Diallo, dans une conversation avec son père, évoque la lecture qu'il a faite des *Pensées* de Pascal. En quoi, selon vous, les pensées de Pascal, de Samba Diallo et du chevalier se rejoignent-elles ? En quoi diffèrent-elles ?

POÉSIE MYSTIQUE SOUFIE

Omar Kayyâm, XIIe siècle, trad. V-M. Monteil, Sindbad.

Savant perse du XIIe siècle, célèbre pour ses travaux de mathématicien, Omar Kayyâm est aussi un poète soufi bien connu pour ses quatrains célébrant l'ivresse mystique.

Les vieillards, aussi bien que les jeunes garçons,
Mettent leurs pas dans les pas de leurs compagnons.
Aussi le monde n'est éternel pour personne :
Eux sont partis déjà, voici que nous partons.

Je n'ai pas peur de m'en aller, car je préfère
Ma moitié d'Au-delà à mon séjour sur terre.
Mon âme n'est qu'un prêt, que Dieu m'a consenti
Et qu'il me faudra rendre à mon heure dernière.

Je voulais lire ouvert le livre de la Vie.
Or, voici qu'un mystique en extase ravie,
M'a dit : « Heureux celui qui serre son Ami,
Tout au long d'une nuit d'interminable envie ! »

Le Temps s'échappe à tire d'aile ? Sois sans peur.
Et l'heureux sort n'est pas éternel ? Sois sans peur.
Profite de l'instant que te vaut la Fortune.
Sans regret, sans regard vers le ciel, sois sans peur.

Aujourd'hui sur demain tu ne peux avoir prise.
Penser au lendemain, c'est être d'humeur grise.
Ne perds pas cet instant, si ton cœur n'est pas noir
Car nul ne sait comment nos demains se déguisent.

COMPRENDRE

Les cinq quatrains ci-dessus livrent, plus ou moins directement, des conseils de sagesse au lecteur ou à l'auditeur. Résumez en une phrase le contenu de chaque quatrain.

ANALYSER

1. Le mode impératif, mode de l'injonction, n'est cependant pas employé dans tous les quatrains, relevez ses différents emplois.
2. Dans quel quatrain est-il plus particulièrement convoqué et souligné par une anaphore rejetée en fin de vers ? À qui ce conseil s'adresse-t-il ? En quoi vous semble-t-il essentiel ?

POUR ALLER PLUS LOIN

Le poète donne la parole à « un mystique en extase ravie ». Qu'est-ce qui permet d'affirmer que cette parole est bien celle d'un mystique ?
La voie du mystique est-elle accessible à tous ? Quelle est alors l'alternative ?

ÉCRIRE

Quelle forme littéraire correspond selon vous le mieux à l'expression du sentiment religieux ? Argumentez.

Arthur Rimbaud, 1972.

Poète prodige, Arthur Rimbaud (1854-1891) publie ses premiers poèmes à l'âge de quinze ans. Ses deux recueils majeurs, Une saison en Enfer *et* Les Illuminations *sont considérés comme des œuvres majeures de la littérature mondiale et marquent l'avènement de la poésie moderne. En 1875, Rimbaud cesse d'écrire et mène une vie d'aventurier en Afrique.*

Elle est retrouvée.
Quoi ? – L'Éternité.
C'est la mer allée
Avec le soleil.
Âme sentinelle,
Murmurons l'aveu
De la nuit si nulle
Et du jour en feu.
Des humains suffrages,
Des communs élans
Là tu te dégages
Et voles selon.
Puisque de vous seules,
Braises de satin,
Le Devoir s'exhale
Sans qu'on dise : enfin.
Là pas d'espérance,
Nul orietur.
Science avec patience,
Le supplice est sûr.
Elle est retrouvée.
Quoi ? – L'Éternité.
C'est la mer allée
Avec le soleil.

1. Expliquez les expressions suivantes : *Âme sentinelle* ; *jour en feu* ; *humains suffrages* ; *communs élan* ; *Le Devoir s'exhale*.
2. *Nul orietur* : Sachant qu'*orietur* est un verbe latin (*orior, orire*) conjugué au futur, qui signifie « il se lèvera », pouvez-vous expliquer l'emploi de ce terme par le contexte de la strophe ?

ANALYSER
1. Ce poème est tiré d'une section des *Illuminations* intitulé « vers nouveaux et chansons ». Qu'est-ce qui rapproche ce poème d'une chanson ?
2. Ce poème se présente comme un dialogue, dialogue intérieur avec soi-même ou dialogue avec une tierce personne. Montrez-le. Quelle interprétation privilégiez-vous ? Justifiez.

POUR ALLER PLUS LOIN
Le registre lyrique utilise le vocabulaire de l'affectivité, des sentiments, la première personne. Elle est fréquente en poésie puisque l'écrivain fait part de ses états d'âme : regret, nostalgie, tristesse, joie etc. Qualifieriez-vous ce poème de lyrique ? Argumentez.

ÉCRIRE
D'après-vous ce poème est-il une chanson spirituelle, une romance païenne ou une évocation matérialiste de la nature ? Vous répondrez dans un paragraphe argumenté.

RECHERCHER
Le chapitre X de la deuxième partie évoque la mort de Samba Diallo. Quels rapprochements pouvez-vous faire entre ce chapitre et le poème d'Arthur Rimbaud ?

SOLEILS COUCHANTS

Paul Verlaine, Poèmes saturniens, 1866

*Paul Verlaine (1844-1896) est un poète français de la fin du XIXe siècle.
Associée au mouvement symboliste, son œuvre est marquée par la rupture
des conventions tant sur un plan formel que sur le choix des sujets traités.
Sa relation tumultueuse avec Arthur Rimbaud est restée célèbre.*

Une aube affaiblie
Verse par les champs
La mélancolie
Des soleils couchants.
La mélancolie
Berce de doux chants
Mon cœur qui s'oublie
Aux soleils couchants.
Et d'étranges rêves
Comme des soleils
Couchants sur les grèves,
Fantômes vermeils,
Défilent sans trêves,
Défilent, pareils
À des grands soleils
Couchants sur les grèves.

Vous montrerez comment la forme poétique adoptée, le vocabulaire choisi, les anaphores sont en eux-mêmes propres à traduire le trouble que fait naître en lui la contemplation du soleil couchant.

POUR ALLER PLUS LOIN

De la musique avant toute chose,
Et pour cela préfère l'Impair
Plus vague et plus soluble dans l'air,
Sans rien en lui qui pèse ou qui pose.

Dans ces vers extraits de son Art poétique, Verlaine exprime ses intentions stylistiques. Reformulez ce manifeste en prose. Cette citation vous permet-elle de développer votre réponse précédente ? Pourquoi ?

RECHERCHER

Dans L'Aventure ambiguë, plusieurs scènes décrivent un coucher de soleil. Retrouvez-les et comparez-les au poème de Verlaine. Quels rapprochements et quelles différences notez-vous ?

Annexes

QU'EST-CE QUE LA NÉGRITUDE ?

Léopold Sédar Senghor, *Liberté III*, Éditions du Seuil, 1977.

Poète, intellectuel et homme politique sénégalais, Léopold Sédar Senghor (1906-2001) fut le premier président de la République du Sénégal. Il approfondit le concept de Négritude initié par son ami le poète martiniquais Aimé Césaire. Le texte ci-dessous est issu de conférences faites dans des universités scandinaves en mai 1970.

Si l'on veut bien y réfléchir, le mot a un double sens : subjectif et objectif, particulier et universel, actuel et éternel – dans la mesure où l'esprit est éternel. C'est le premier sens du mot que définit Irélé[1]. En ce sens, la Négritude, c'est, essentiellement, un refus et un engagement, une négation et le dépassement de la négation dans la synthèse, mieux : dans la symbiose.

Je me réfère, ici, à ma propre expérience, car c'est en quatrième ou troisième – en la troisième ou quatrième année de l'enseignement secondaire – que j'ai découvert le problème et commencé de militer. C'était au collège Libermann, à Dakar, qui était tenu par les pères du Saint-Esprit. Nous étions, déjà, une poignée de *contestataires*, qui, relativement privilégiés, réclamions d'autres privilèges, dont celui d'avoir des draps blancs. Le directeur nous renvoyait, toujours, aux lits bas et aux pagnes de nos parents, nous déniant même l'honneur d'avoir une civilisation, car nous étions des « sauvages» au sens étymologique du mot : des « hommes de la brousse ». Je protestais avec d'autant plus de vigueur que, mon père étant propriétaire terrien, j'avais vécu, à la campagne, notre *civilisation négro-africaine,* qui était une certaine manière, non européenne, de penser le monde et d'être au monde, de concevoir et de vivre la vie : une certaine façon de manger et de travailler, de rire et de pleurer, de danser et de chanter, de peindre et de sculpter. Et aussi et surtout de prier. Mais le militant que je commençais d'être sentait, malgré tout, la faiblesse de cette civilisation et qu'elle était d'ordre technique. Et je me jurais de voler à l'Europe les instruments de sa supériorité : ses machines, bien sûr, mais surtout l'esprit de ses machines, je veux dire *sa raison discursive.*

Objectivement, comme civilisation, la Négritude c'est l'ensemble des valeurs non seulement des peuples de l'Afrique noire, mais encore des minorités noires d'Amérique, voire de celles d'Asie et d'Océanie.

---

[1] F. Abiola Irélé, universitaire nigérian né en 1936. Il définit la Négritude comme « une philosophie qui postule une action culturelle adaptée aux conditions spirituelles et sociologiques de l'homme noir. C'est un humanisme à portée universelle. »

C'est, ainsi que l'écrit Jean-Paul Sartre dans « Orphée noir »[1], « une certaine qualité commune aux pensées et aux conduites des Nègres ». *Subjectivement*, la Négritude est une volonté d'assumer les valeurs de civilisation du monde noir, de les vivre soi-même, après les avoir fécondées et actualisées, mais aussi de les faire vivre dans et par les autres. En ce sens, elle est, pour reprendre l'expression d'Irélé, « un humanisme à portée universelle ». Pour mieux vous le faire comprendre, je vous renvoie à la thèse de doctorat de Mme Erica Simon, professeur à l'Université de Lyon, mais d'origine scandinave par sa mère, qui est intitulée *Réveil national* et *Culture populaire en Scandinavie*[2]. Elle nous y montre comment, au XIXᵉ siècle, les peuples scandinaves, humiliés par les grandes puissances européennes, ont recherché, par-delà leurs identités nationales respectives, les valeurs de cet esprit du Nord, qui, seules, pourraient les aider à former, en Europe, un ensemble solide, culturel et politique en même temps – la mode n'était pas encore à l'économique. Dans un article publié dans la *Revue de la Société des études germaniques* et intitulé « l'Université de Grundtvig », Mme Simon allait jusqu'à comparer la notion de Négritude à celle de *Folkelighed*. Je la comparerais, plus justement, à celle de *Nordicité* – on aurait pu, tout aussi bien, dire *Négrité*, les suffixes latins -*itudo* et -*itas* ayant la même valeur abstraite.

C'est dire que la Négritude, comme mouvement culturel, n'est pas un racisme : pas même un « racisme antiraciste », pour employer la formule de Sartre. On le sait, sous l'influence de la caractérologie, dont un des inventeurs fut le philosophe franco-sénégalais Gaston Berger, l'ethnologie a fini de ruiner l'idée d'une civilisation unique, encore plus l'idée – encore incarnée par la « Société européenne de Culture » – d'une civilisation européenne supérieure à toutes les autres. Comme me l'ont enseigné Marcel Mauss et Paul Rivet, mes maîtres à l'Institut d'ethnologie de Paris, chaque ethnie, chaque peuple a sa civilisation, qui est le fruit succulent de la géographie, mais aussi de l'histoire, de la race, mais encore de la langue : de la vie en société.

---

[1] Préface à l'*Anthologie de la nouvelle poésie nègre et malgache de langue française*.
[2] PUF, Paris, 1960.

LES FIGURES D'ANALOGIE ET DE SUBSTITUTION

- Allégorie : figure de style qui consiste à représenter de façon imagée, en la matérialisant, une idée abstraite. (L'allégorie de la justice est une statue de femme, les yeux bandés, tenant dans une main une balance et de l'autre un glaive.)
- Comparaison : figure qui consiste à rapprocher un comparé et un comparant par l'intermédiaire d'un comparatif. S'appuyant sur l'analogie, ce procédé établit un parallèle entre deux réalités. « Mon esprit est pareil à la tour qui succombe. » (Charles Baudelaire, *Chants d'automne*)
- Métaphore : figure de style qui rapproche un comparé et un comparant, sans comparatif (contrairement à une comparaison). « Les vagues se tordant arrivent au galop » (Jules Laforgue, *Premiers poèmes*)
- Métonymie : remplace un terme par un autre qui est lié au premier par un rapport logique. « Rodrigue, as-tu du cœur ? » (Corneille, *Le Cid*)
- Périphrase : figure qui consiste à remplacer un mot par sa définition ou par une expression plus longue, mais équivalente. (C'est dans la Ville éternelle que siège le Vatican)
- Personnification : figure qui consiste à évoquer un objet, une idée ou une abstraction sous les traits d'un être humain. « Les arbres sur ma route fuyaient » (Gérard de Nerval, *L'Almanach des Muses*)
- Synecdoque : c'est un cas particulier de métonymie, on prend le tout pour la partie ou la partie pour le tout. « Une voile, au loin, surgit à l'horizon. »

LES FIGURES D'OPPOSITION

- Antiphrase : figure qui consiste à dire le contraire de ce qu'on pense, tout en montrant qu'on pense le contraire de ce qu'on dit. Ce procédé est le support essentiel de l'ironie. « L'harmonie des canons » (Voltaire, *Candide*)
- Antithèse : mise en parallèle de mots qui désignent des réalités opposées. (Le passé et le présent, la vieillesse et la jeunesse, la vie et la mort, etc.)

- Chiasme : des termes (identiques, qui s'opposent ou qui peuvent être mis en relation) sont disposés en sens inverse dans deux segments de phrase. Le schéma est donc le suivant: A B B A ou A B B' A'. « Et l'on voit de la
- flamme aux yeux des jeunes gens / Mais dans l'œil du vieillard on voit de la lumière » (Victor Hugo, *La légende des siècles*)
- Oxymore (ou alliance de mots) : place l'un à côté de l'autre deux mots opposés (antonymes). « Le Soleil noir de la Mélancolie » (Gérard de Nerval)
- Paradoxe : idée qui surprend parce qu'elle est en contradiction avec ce qui est habituellement admis. Affirmation qui heurte le bon sens, qui va à l'encontre de l'opinion communément admise. « Les petits sont parfois plus grands que les grands. »
- Prétérition : fait de parler de quelque chose en commençant par annoncer qu'on ne va pas en parler. « Je ne vous conseille rien, vous êtes sage ; il est à présumer que vous serez utile à votre mari. » (Voltaire, *L'Ingénu*)

LES FIGURES D'AMPLIFICATION ET D'ATTÉNUATION

- Accumulation : assemblage de mots en grand nombre, de façon à mettre une idée en valeur. « Adieu veau, vache, cochon, couvée… » (La Fontaine, *La Laitière et le Pot et au lait*)
- Anaphore : répétition d'un terme en tête de vers, de groupes de mots, de propositions ou de phrases qui se suivent et qui permet d'insister sur une idée. « Rome, l'unique objet de mon ressentiment ! / Rome, à qui vient ton bras d'immoler mon amant ! / Rome qui t'a vu naître… » (Corneille, *Horace*)
- Euphémisme : figure qui consiste à remplacer une expression qui risquerait de choquer, par une expression atténuée. (Il nous a quittés = il est mort.)
- Gradation : Succession d'expressions énumérées marquant une variation d'intensité. « Va, cours, vole et nous venge » (Corneille, *Le Cid*)
- Hyperbole : amplifier une idée pour la mettre en relief. Il s'agit d'une exagération. « Comme tu es agité, une vraie tornade ! »
- Litote : dire peu pour suggérer beaucoup. Le verbe est en général à la forme négative. Fausse atténuation. « Va, je ne te hais point. » (Corneille, *Le Cid*)

- Pléonasme : Fait de donner deux fois la même information dans la même expression et ce de manière fautive. « monter en haut » ; « descendre en bas ».
- Redondance : abondance excessive, superflue, dans le discours (développements, ornements, répétitions). « réduits à l'insubstance des fantômes » (Chateaubriand, *Mémoires d'outre-tombe*)

LES FIGURES DU SIGNIFIANT

- Allitération : répétition d'un même son consonne. « Tout en faisant trotter ses petites bottines » (Rimbaud, *Roman*)
- Assonance : répétition d'un même son voyelle dans un énoncé. L'assonance peut être utilisée pour produire une harmonie imitative. « Il pleure dans mon cœur / Comme il pleut sur la ville / Quelle est cette langueur / Qui pénètre mon cœur ? » (Verlaine, *Romances sans paroles*)
- Paronomase : rapprochement de paronymes (mots qui se ressemble sur le plan des sonorités). « La mère de l'amour eut la mer pour berceau. » (Marbeuf)

LITTÉRAFRIQUE
Faire entrer la littérature du continent dans les classes

LITTÉRAFRIQUE ROMANS

Cheikh Hamidou Kane, *L'Aventure ambiguë*
Ferdinand Oyono, *Une vie de boy*
Sembène Ousmane, *Les Bouts de bois de Dieu* (extraits)
Amadou Koné, *Les Frasques d'Ébinto*
Véronique Tadjo, *Reine Pokou*
Emmanuel Dongala, *Johnny Chien méchant*
Aminata Sow Fall, *L'Appel des arènes*
Évelyne Mpoudi Ngollé, *Petit Jo, enfant des rues*

LITTÉRAFRIQUE THÉÂTRE

Amadou Koné, *Le Respect des morts*, suivi de *De la chaire au trône*

LITTÉRAFRIQUE NOUVELLES

Cheikh C. Sow, *Cycle de sécheresse*
Séverin Cécile Abéga, *Les Bimanes*
Anthologie de nouvelles (choisies et présentées par Odile Cazenave, de l'université de Boston)

LITTÉRAFRIQUE CONTES

Anthologie de contes (choisis et présentés par Lilyan Kesteloot)

LITTÉRAFRIQUE POÉSIE

Anthologie poétique (choix et présentation par Odile Cazenave, de l'université de Boston)

Imprimé à Sonipat (Haryana) en Inde par Replika Press Pvt Ltd
Dépôt légal : 03/2020 – Collection n° 30 – Édition n° 07
59/5223/9